だいわ文庫

他人の心は
「見た目」で9割わかる！

必ず試したくなる心理学101

多湖 輝＝監修

大和書房

まえがき

私たちは毎日、さまざまな場所で、いろいろな人と会っています。そんなとき、「あの人が何を考えているか読めたら」「どんな傾向の人かわかったら」と思うことがありませんか。もしそれができれば、それに対応した態度がとれるので、プライベートの関係もビジネスの関係も、すべてスムーズに進むでしょう。

では、外見だけで他人の心のなかを知ることは、できるのでしょうか。実は、その手がかりがあるのです。それは人のしぐさやクセ、好みです。人間の顔に違いがあるように、しぐさやクセにも違いがあり、そうした点を観察してみると、性格や人生観までが浮かび上がってくるのです。

この本を読めば、気づかなかった性格や深層心理がわかり、また、感情のクセもズバリとわかるはずです。この本を片手に、身近な人を思い浮かべてみると、けっこう当たっているのに驚かされるかもしれません。

「人の様子を見て相手の心を知る」というのは、人間関係の基本です。この本で、あなたも外見だけで人の心を見抜く達人になってください。

多湖　輝

他人の心は「見た目」で9割わかる！　目次

第1章　恋愛編

第2章 仕事編

第3章 子育て編

第1章
恋愛編

相手の心が読めたら、どんなに楽だろう——恋愛中に、誰でも一度はこう思ったことがあるはず。人の心を100パーセント読むのは不可能ですが、心理学を応用するだけで、意外な面が浮かび上がってきます。そのために必要なのは、あなたの観察力。ふだんは何気なく見ている相手のしぐさや言葉遣いなどに注意を払ってみてください。きっと何かが見えてくるはずです。この章では、恋愛の心理を探るポイントについてお話しします。

1

服の色に表れる「あの人の本当の性格」

マックス・ルッシャーという心理学者は、人間は無意識のうちに気分に応じた色を選び、好きな色は願望や欲求を表していると指摘しています。

暗い気分のときに派手な色の服を着る気にはなりませんね。これは、気分や性格が色選びに大きな影響を与えるから。つまり、好きな服の色を見れば相手の気持ちや性格もわかるということ。

あなたの恋人は、どんな色が好きですか。

①赤い服が好き

欲望や願望に溢《あふ》れている野心家で、上昇志向が強いのが特徴です。仕事ができる半

面、熱くなりやすいため、まわりと衝突することが多くなります。プライベートでも自分の欲しいものを積極的に手に入れようとする行動派なので、相手のペースに巻き込まれないように注意してください。基本的な性格は明るいので、一緒にいて楽しい相手ですが、ときどき調子に乗って大失敗することがあります。そうならないように、手綱をしっかり締めましょう。

②黄色い服が好き

変化を好み、理想を追い求めるタイプです。しかし、リスクを求めることはなく勤勉家です。行動するよりも頭で考えるのを好むので、デートはアウトドアよりも美術館や映画館へ行くのがいいでしょう。やや理屈っぽいところがあって、ケンカをするとイライラさせられるかも。また、曖昧《あいまい》な意見を嫌うところがあり、何か聞かれた場合には「イエス」「ノー」ではっきり答えましょう。

③青い服が好き

物静かな性格で、周囲の人との信頼関係に気を配り、礼儀を大切にします。ただし、人のことを気にしすぎて消極的になりすぎる面があります。たとえば、あなたが「○○へ行きたい！」と言うと、本当は行きたくなくても付き合ってくれます。この点に気がつかないとフラストレーションがたまってしまいますから、相手の気持ちも考えてあげるように。人見知りが激しい傾向があって、付き合いのきっかけをつかむのに苦労するかもしれません。

④緑の服が好き

我慢強い平和主義者です。堅実な考えの持ち主でもあります。情熱的な恋愛がしたいと考えている人にとっては、あまりにも真面目すぎて面白みに欠けるかもしれません。しかし、心も広いので、幸せな結婚生活を送りたいなら最適でしょう。ただ、仕事面ではチャレンジ精神に欠け、実力のわりに出世は遅めかも。さらに、このタイプのお尻《しり》を叩きすぎると、失敗したときに大きな精神的ダメージを受けやすいので注意してください。

⑤紫色の服が好き

繊細で感受性が強く、ロマンチストです。ロマンチックな恋愛がしたいと考えている人には最適の相手といえるでしょう。アタックする場合は、心霊や占いなどスピリチュアルなことに強い関心を持ち、そのあたりから攻めると成功率が高いはず。ただし、うぬぼれや虚栄心が強く、複雑な性格の持ち主でもあるので、交際を長続きさせるのは難しいかもしれません。

⑥茶色の服が好き

協調性があり、人付き合いがいいタイプです。つまり、友だちになりやすい相手です。しかし、頑固なところもあり、あなたが自分の好みではない場合は恋人関係に発展するのは大変です。献身的で責任感が強く、結婚相手にはいい人なのですが。

⑦黒い服が好き

思うようにならない現状を変えようとする努力家です。恋愛では、自分の本心をあまり表に出さず、親密な関係になるまでには時間がかかるかもしれません。また、飽きっぽいところがあり、1人でいることを好む傾向もありますから、交際中の人は気をつけて。

⑧灰色の服が好き

優柔不断な傾向があり、二者択一の意見を求められるのが苦手です。しかも自己中心的なところもあって、将来のことを相談しても、自分のメリットばかり考えて曖昧な話ばかり。こんな恋人を持つと、イライラさせられるかも。

2

メタルフレームのメガネをかける人は〝情熱的〟

私たちは誰でも変身願望を持っています。実際に変身するのは難しいのですが、メガネはその変身願望を満足させることができます。

日本人のメガネ装着率は60パーセントにも達するそうです。どんなデザインのメガネをしているかを見れば、その人の性格や願望をある程度見抜くことができます。

①比較的大型のセルフレーム

最近の流行に反し、比較的面積の大きいボストンタイプやウエリントンタイプなどのフレームを選ぶ人は保守的で消極的です。顔が隠れる大型のメガネは、その消極的な部分を隠したいという気持ちの表れです。

②流行のデザインのセルフレーム

一風変わった流行デザインのメガネは仮面そのものです。このタイプの人は、自分の内面の消極的なところを嫌悪し、まったく別な人格になりたいと考えています。

③メタルフレーム

メタルフレームは手錠や足かせと同様に、行動を抑制するためのパーツと考えることができます。メタルフレームのメガネをかけている人からは冷たい印象を受けることが多いようですが、実際には熱い情熱や積極性を秘めています。しかし、いったんそれを外に出してしまうと自分ではコントロールが効かなくなってしまうので、メタルフレームのメガネを選んで抑制しようとしているわけです。

④フレームレスのメガネ

目立たないメガネをかけているということは、仮面をつける必要がないと考えている証拠です。つまり、裏がない人と考えていいでしょう。ただし、コンタクトレンズを選ばなかったということから、リスクを嫌う人、石橋を叩《たた》いて渡る人ということがわかります。

3

デートに「アニマル系の香水」をつけてきたら〝脈あり〟

昔から、香水には異性を惹《ひ》きつける効果があるといわれてきました。どのくらい効果があるかは別として、香水の種類によって、相手が思っていることはわかります。

動物や昆虫は繁殖期を迎えると、メスが性フェロモンを分泌させてオスを誘います。人間にも性フェロモンは存在しますが、残念ながら他の動物ほどの効き目はないとされています。そのかわり、人は香水をつけて自分の魅力を増そうとします。

つまり選ぶ香水によって、その人の願望や性格がわかるということ。さて、恋人の香水は何の香りがしますか。

①フローラルな香水をつけている人

リラクゼーション効果のあるこの香りを選んでいるということは、ストレスにさらされているのかもしれません。ふだんは何も香水をつけない恋人がフローラルの香りを漂わせているときは、精神的に疲れていると考えられます。

せっかくの週末でも、あまり遠出はせず、自宅でゆっくり過ごしたほうがよさそうです。

②柑橘《かんきつ》系の香水をつけている人

柑橘系の香りには覚醒《かくせい》効果があります。この香りを選んだ人は元気を出したいと考えているようです。映画を観に行くなら、ラブストーリーよりもアドベンチャー系を選びましょう。

一緒にスポーツをするのもいいですが、もし恋人が疲れているようなら、スポーツ観戦で元気を取り戻してあげましょう。きっと、あなたの気遣いを喜んでくれるはずです。

③アニマル系の香水をつけている人

ムスクなど、ちょっと個性的な香りを選ぶ人は、あなたの気を引きたいと思っています。アニマル系の香水は自分のフェロモンの代役ですから、デートのときにこの香りがしたら脈があると考えていいでしょう。

それでも自信が持てずに消極的に振る舞っていると、相手のペースに巻き込まれるかもしれません。

④ウッディな香水をつけている人

おとなしい香りですが、この香りを選んだ人の心のなかには、実際よりもセクシーに見られたい、大人っぽく見られたいという気持ちが潜んでいます。

もしかしたら、恋人を子ども扱いしていませんか。今後は年相応に付き合うようにしましょう。

4

派手な身振り手振りの男は「浮気」しやすい？

テレビを見ていると、会話中に手でアゴをつまんだり、唇の周りをなでるタレントがいます。もしかすると、打算的な性格なのかもしれません。

いつの間にか髪に触れていた。ふと気がついたら手を口に持ってきていた……。このように、手の動きやしぐさのクセはさまざまなパターンがあり、その人の性格を表していることが多いといわれています。

たとえば、**他人と話をするときに派手な身振り手振りをする人**がいます。このタイプは明るい性格で、自己の存在をアピールしたいという気持ちが強いようです。また、感情の起伏が激しい傾向があるため、恋愛でも激しく燃え上がり、それが異性にとってはたまらない魅力になります。

ただし、結婚してからもドラマチックな愛を求めつづけたいと考えるので、浮気に走る可能性があります。しかも、そのことを責めると大爆発！　このタイプと円満な結婚生活を続けるには努力が必要です。

反対に、**手の動きがとても控えめで、ときおり手の、それも指先だけをそっと動かすような人**は学者肌の人です。冷静沈着で、感情をコントロールする能力に優れ、理詰めで行動するタイプです。あまり面白みのない人ともいえますが、ひとたび深い関係になると、どんなつらい状況に陥っても助けてくれます。順風満帆な結婚生活を続けたいなら、このタイプの人を選ぶといいでしょう。

会話中に両手の指をしっかり組んでいる人がいたら、気性の激しい人と判断していいでしょう。激情家でありながら、自己の感情を抑え込もうとする人によく見られるポーズです。あの悪名高きヒトラーもよくこのポーズだったそうですから、こんなポーズをとっている人には要注意です。

ヒトラーもそうでしたが、野心家が多く、目標が定まると一気に突っ走る傾向があります。性格的には用心深いのですが、暗く陰湿な性格傾向も見られますので、交際してもあまり楽しい恋愛にはならないかもしれません。

また、**会話中に手でアゴをつまんだり唇の周りをなでる人**は、打算的で自分勝手な性格の持ち主です。たとえば、「自分のモノになる」という確信がないかぎり、女性に高い食事をご馳走《ちそう》するようなことはしません。

5

まばたきが多くなったら「嘘《うそ》をついている」可能性が高い

嘘や秘密など、相手に知られるとマズいことを心に抱えている人は、話をしていても目と目を合わせていられなくなり、スッと目線をはずしたり、まばたきが増えることが多いようです。

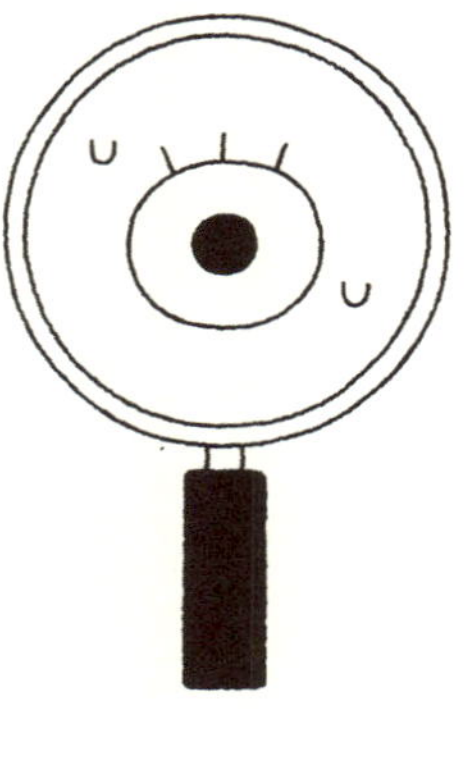

スーパーやデパートの売り場には、万引き犯を発見するための係員が巡回しています。お客をじろじろ見なくても、万引きしようとしている人を見分けられるそうです。

万引きしようとしている人を見分けるポイントは「目」。目つきが安定せず、たえずキョロキョロと目を不自然に動かしている人がいたら要注意。また、やたらとまばたきをする人も怪しいとか。これは心理学的にも正しい判断です。人は緊張したり嘘をつくと、とたんにまばたきが増えます。「嘘がバレてしまうのでは」という不安を隠したい気持ちが、まばたきとなって表れるのです。

これは、一般の人にも当てはまります。たとえば、「キミのこと好きだよ」「結婚しよう」と言ったときに相手のまばたきが多かったら、嘘をついている可能性が大きいのです。もしかしたら、あなたの身体が目当てかもしれませんから、慎重になったほうがよさそうです。

心理学のデータによれば、**緊張すると、まばたきの回数が毎分30回以上になる**ので、「怪しい」と思ったら回数を数えてみてください。反対に、まばたきが少ない人は自信に満ち溢れている人です。そんな人の愛の告白なら信頼できると考えていいでしょう。

もうひとつ注意したいのが、暗い目つきの人。暗い目つきとは、目の光に力がなく、どことなく濁った鈍い印象がある目を指します。こんな目つきの人は、隠し事をしていることが多いようです。本心を探られたくないので、「できるだけ他人と目を合わせたくない」という気持ちが働き、伏し目がちな暗い目つきになってしまうわけです。

逆に、明るい目つきをしている人は前向きで意欲的ですから、安心できるでしょう。

6

「押しつけてタバコを消す人」とは社内恋愛をしても安心

無意識に口に運ぶことが多いタバコには、その人の深層心理が表れます。気になる人のタバコの吸い方をチェックしておきましょう。

ＪＴの調査によると、成人男性の喫煙率は38・9パーセント（平成21年度調べ。以下同）、成人女性の喫煙率は11・9パーセントだそうです。つまり、男性なら3人に1人、女性の場合は8人に1人ほどが吸うということ。もし、宴会などで気になる人がタバコを吸っているところを見かけたら、その様子をしっかりチェックしておきましょう。そこには、彼（彼女）の意外な恋愛観が隠されています。

まずはタバコの持ち方から。

①人差し指と中指の先で持つ人　最もポピュラーな持ち方ですが、誰かとしゃべっているときもこの持ち方をしている人は、話し好きで親切なところがあります。また、堅実なので、楽しく付き合える相手でしょう。

②親指と人差し指の先で持つ人　頭がよく、思慮深い人です。仕事もバリバリできますし、公平な判断をするので、上司がこのようにタバコを持つ人ならラッキーといえます。ただし、プライドの高いところもあり、恋人にするのはちょっと大変かも。

③人差し指と中指の根元に挟む人　親切で庶民的な人です。おしゃべり好きなところもあり、一緒に食事をしても楽しいはずです。しかし、行動力があって積極的なため、そのまま一気に深い付き合いに持ち込まれてしまう可能性があるので、注意してください。

④親指と人差し指、中指の先で持つ人　上品な性格で、威厳も持ち合わせています。年上好きな人には大満足の相手かもしれません。

次にタバコの消し方を見てみましょう。

①火先を灰皿に押しつけて消す人　何事においてもケジメをはっきりつける人です。ビジネスと恋愛のケジメもしっかりしていて、社内恋愛をしても、同僚にバレる心配

はありません。ただし、結婚と恋愛も分けて考えることができるので、親密な関係になったとしても、そのまま結婚にたどり着けるとはかぎりません。

②灰皿に水を入れて消す人　完ぺき主義者のようで、意外といい加減なところもあります。そのため、付き合いはじめると戸惑うことが多いようです。上手に付き合うコツは、言われたことをあまり真に受けないことです。

③タバコを折って消す人　真面目そうに見えても、けっこうな遊び人です。しかも、あまり誠意も見られないタイプのため、深い付き合いをするのはおすすめできないでしょう。どうしても諦《あきら》められないなら、ためしに一度デートの約束をしてみましょう。時間に遅れてきたら、残念ながら遊び人確定です。

④火が消えていなくても気にしない人　甘えん坊で自己中心的なところがあります。「甘えられたい」という願望があるならよい相手といえますが、相手は好き嫌いが激しいので、気に入られるかどうかが心配です。

⑤火の部分だけを灰皿に落とす人　短気でせっかちな人です。怒りっぽいのですが、根に持つタイプではありません。また、異性との交際に強い興味を持っているので、誘えばオーケーをもらえる確率が高いはずです。

7

「カフェで待ち合わせする」人は、相手を大切に思っている

どんな人にも「好きな場所」「嫌いな場所」があります。いつの間にかそういう傾向が出ているのですが、その人が好きな場所は潜在心理が大きく関係していると考えられます。

恋人と待ち合わせするときは、自分から待ち合わせ場所を指定するのではなく相手に選ばせましょう。すると、相手の性格やあなたのことをどう思っているのかが見えてきます。

①目的地で待ち合わせする人

遊園地や映画館など目的地で待ち合わせする人は、せっかち。あなたに好意は持っているようですが、少し身勝手な点があり、振り回されることを覚悟したほうがいいでしょう。

このタイプはバレンタインデーやクリスマスといったイベントにもあまり気を払いません。これは、あなたのことを嫌っているのではなく、そんなイベントに振り回される必要はないと考えているため。ロマンチストには物足りない相手かもしれません。

②駅の改札口で待ち合わせする人

駅の改札口や出入り口は、最も一般的な待ち合わせ場所です。無意識のうちにこんな一般的な場所を指定する人は、地味ですが堅実です。

ただし、改札口という快適ではない場所を選んだことから、相手の気持ちをあまり解さない面も考えられます。恋人にするにはちょっと物足りなく感じるかもしれませんが、仕事もコツコツやるタイプなので、結婚後は安心といえるでしょう。

③書店で待ち合わせする人

書店を選んだのは「多少遅れても時間が潰《つぶ》せるだろう」と思っているから。一見、思いやりがありそうですが、時間にルーズなだけと考えたほうがいいでしょう。

ずる賢いところもあるので、もしかすると二叉をかけられているかもしれません。

残念ながら、「好きだ」と言われても鵜呑《うの》みにしないほうがよさそうな相手です。

④カフェで待ち合わせする人

たとえ待たせたとしても快適に過ごせるような場所を選んだのは、あなたを大切に思っている証拠です。書店で待ち合わせたなら、顔を合わせてからどこかへ移動しなければなりませんが、カフェなら時間が許すかぎりじっくり話し合えます。

初めてのデートで待ち合わせにカフェを指定されたら、あなたとの関係を深めたいと考えていると思っていいでしょう。

8

カウンター席を希望する異性は〝脈がある〟

レストランや居酒屋で、わざわざカウンター席を選ぶカップルがいます。「狭苦しい思いをしなくてもいいのに」と思いますが、この座り方は2人がもっと親密な関係を結んでいいと考えている証拠です。

レストランや居酒屋などへ予約なしで行くと、「カウンター席しか空いていませんが……」と言われることがありますね。「それならいいです」と断る人も多いようですが、同伴者が「カウンター席でもいい？」と聞いてきたら、喜んでオーケーしましょう。

心理学者のクックの実験によると、**人間は誰かと会話をするときは、角をはさんだ位置の席か、真正面の席を選ぶ**傾向があったそうです。しかし、あまり親密ではない

相手の場合、真正面の席に座ると視線が合いすぎて緊張感が高くなり、会話がはずまなくなります。しかも、真正面という位置は緊張感だけではなく対立感情も生まれやすいポジションなので、「同伴者と関係を深めたい」と考えるなら不適切です。

つまり、会話をする際のベストポジションはカウンターの角ということになります。「カウンター席しか……」と言われたら、「角にしてもらえますか?」と聞き返してみるといいでしょう。

もし角の席が空いていなくても、ガッカリすることはありません。クックの実験によると、**ひとつの課題を協力してやる場合、横並びの席に座る**傾向があったそうです。

恋愛や結婚も共同作業のひとつですから、カウンターで横並びというのは、それを発展させるには好都合なポジションといえます。それに、同伴者が「カウンター席でもいい」とオーケーした場合は、共同作業(恋愛)を進めてもいい、という表明でもあるわけです。

さらに、横並びに座れば、相手との距離も自然に縮めることができます。私たちはパーソナルスペースという「なわばり」を持っています。満員電車を不快に感じるのは、個人的にまったく親しくない相手がこのなかに侵入してくるためです。

パーソナルスペースのなかでも、**半径60センチ以内は「親密距離」**といわれ、そこに入ることができるのは恋人や家族だけ。しかし、カウンターで横並びに座れば、自然とその親密距離に入ることができます。

9 商品を〝勝手に触る〟人は、わがままで自己主張が強い

付き合いはじめの頃は恋人の性格がつかみきれず不安なものです。そんなときには、一緒にショッピングへ行ってみましょう。相手がどんな態度を示すかで、性格が手にとるようにわかります。

「買い物グセ」という表現があります。どんな買い物のときでも、その人が何気なくとってい る行動のことです。何気ないだけに心のなかがうかがえるのです。

①店員を質問攻めにする

携帯電話や洋服などを買うときに、恋人が店員を質問攻めにしたら、彼（彼女）は依存体質と考えていいでしょう。

「質問が多いから慎重な性格」と思い違いすることが多いようですが、もし慎重な人

だとしたら、ショッピングへ行く前に十分下調べをしているはずです。店員を質問攻めにするのは、「頼れる」という安心感を得ようとしているから。店員がどう答えようと、その中身には興味がありません。「頼られたい」という願望を持っている人なら最適の相手ですが、頼りがいのある人を探している場合は、残念ながらうまくいきそうにありません。

②商品に勝手に触る

「お手を触れないでください」と書いてあっても、勝手に商品に触り、いじくりまわしてチェックするのは子どもっぽい性格の持ち主です。

このタイプの人も、慎重な人と勘違いされることがありますが、慎重なら勝手に商品には触れません。「触れないでください」と書いてあるにもかかわらず、それを我慢できないのは自制心を持っていないからです。わがままで自己主張が強いタイプでもあり、付き合うには骨が折れるかもしれません。

③いらないものまであれこれ買ってしまう

最近問題になっている「買い物依存症」にかかっていることが考えられます。カードをよく使うが何に使ったかあまり覚えていない、買ったまま一度も着ない洋服が5

着以上あるという人なら、間違いなく買い物依存症です。借金を抱えて生活が破綻《はたん》する可能性も考えられるので、治してもらわないかぎり恋人には向きません。

④何も買わずに帰ってくる

「今日はショッピングに行きましょう」と言いながら結局は何も買わずに帰ってくるのは、何事に対しても決断力が弱く、優柔不断な人です。あなたが「結婚したい」と思っていても、なかなかプロポーズしてくれません。

反対に、あなたがプロポーズした場合は、のらりくらりといつまでもはっきりした返事をくれません。あなたのことが嫌いなわけではなく、自分では決められないだけなので、あなたが強引に引っ張っていくしかありません。

10

お釣りのないようきっちり支払う人は「良妻賢母型」

デートをしていると、どこかで必ずお金を支払うことになります。そのとき、支払い方をしっかりとチェックしておきましょう。こんなところからも、彼（彼女）の意外な一面が見えてくるからです。

支払いのときに5円玉や1円玉を財布の奥から取り出し、**お釣りのないようきっちり支払う人**がいます。このタイプには、心が細やかで、気配りがきく人が多いようです。「結婚したら、彼女には専業主婦になってほしい」と考えている男性にはいい相手でしょう。ただし、レジにズラリと人が並んでいても、おかまいなしに小銭を探している人は、結婚するとやたら口うるさくなったり、周囲の空気を読めない鈍感タイプになりやすいので、それをしっかり見分けてください。

1000円以下の買い物でも、**必ずといっていいほど1万円札を出す人**は外見を気にするタイプです。ポケットや財布のなかをかき回し、細かいお金を探すのを「格好悪いこと」と決めつけているため、1万円札ですまそうとします。また、お釣りのことを一切考えないのですから、大雑把な性格の持ち主という可能性もあります。いずれにせよ、多少お金にルーズなところが見受けられ、このタイプと結婚した際には家計を任せないほうがよさそうです。

たとえば**507円の商品を買うときに、1000円札と7円を出す人**は、頭の回転が速く、自分の才能に自信を持っていることが多いようです。ただし、小銭を受け取るのが嫌なので、なるべくお釣りを少なくしているだけという人は、神経質すぎるきらいがあります。「恋人には安らぎを求めたい」と考えている人とはうまくいかないかもしれません。

恋人が1000円程度の商品でもカードを出したら、そっと財布のなかをのぞいてみてください。おそらくカードがズラリと並んでいるはず。もし、そうだとしたら100パーセント見栄《みえ》っ張《ば》りです。

ご馳走してくれたり、あれこれプレゼントをくれるかもしれませんが、それはあなたが好きだからではなく、見栄っ張りだから。優しいどころか、逆に冷たいところもあるので勘違いしないようにしてください。

また、面倒くさがり屋のところもあって、簡単なお願い事でも、あからさまに嫌な顔をしたりすることもあります。

11

「ヘソにピアス」の人は自己中心的

ピアスをつけるためには自分の体を傷つけなければなりません。どこの部分をどの程度傷つけるかで、女性の気持ちが見えてきます。

ピアスをしている女性をよく見ます。耳だけではなく、鼻や舌、ヘソにまでピアスをしている人もいます。あなたが気になる人は、どこにどんなピアスをつけていますか。

①耳にたくさんピアスをつけている

5個も6個も耳に穴を開け、ピアスをズラリと並べている人は、同じ趣味や考え方の人に好感を持つ傾向があります。つまり、このタイプと親密になりたいなら、音楽や食事の嗜好《しこう》、趣味を受け入れる必要があるのです。

仲間意識が強いため、同じ趣味を持っているとわかれば、すぐに親しくなれます。ただし、自分のやっていることを非難されると無性に腹を立てるタイプなので、仲良くしたいなら否定的な発言は避けましょう。

②とても大きなピアスをつけている

ピアスにはいろいろなデザインがありますが、自分の耳ほどもある大きなピアスをつけている女性は、贅沢《ぜいたく》が大好きなタイプです。

自分を美しく見せることに労力やお金を惜しまず、デートも一流レストランや高級リゾートへ行くことを望みます。当然、付き合うにはお金がかかりますから、安い給料では諦めたほうがよさそうです。

③鼻や舌などにピアスをつけている

耳とは違って、よく触れるところにピアスをしていると違和感を覚えるものです。そこにつけるのは、「自分が生きていることを実感したい」と考えている証拠。

近寄りがたい雰囲気でも、「誰かに触れてもらいたい」と思っていますから、怖《お》じ気《け》づかずに積極的にアプローチしてみてください。自分の人生や生き方に不安を持っているため、包容力を発揮すれば相手はメロメロです。

④ヘソなど、ふだんは見えないところにピアスをつけている

自己中心的なところがあるようです。相手の気持ちは二の次でわがままな面があり、付き合うには包容力と寛容な心が求められます。

年が近いと相手に我慢できず、喧嘩《けんか》別れする可能性が高くなります。かなり年が離れていないと交際は難しいでしょう。

12

女性がデートに「メガネ」をかけてきたら、親密になるチャンス

恋人にメガネ姿を見せるというのは、自分の弱点をさらけ出すのと同じこと。あなたも、彼女に自分の弱点を教えてあげましょう。

恋人がデートのときに、初めてメガネをかけてきました。もしかしたら、いつもはコンタクトレンズをしていたのかもしれませんね。こんなとき男性は「目が悪かったんだ。気がつかなかったよ」と、あまりその変化について注視しませんが、女性がメガネ姿を恋人に見せるときは深い意味が隠されている場合があります。

ふだんコンタクトレンズを使っている女性は、「私はメガネが似合わない」と思っている人が多いようです。そう思っていながら、恋人のあなたにメガネ姿を見せたと

いうことは、**「私の弱点や素顔を受け入れてほしい」と考えています**。つまり、女性のほうから「もう少し親密になりたい」と訴えかけているわけですね。

このように、自分のプライベートな部分を相手にさらけ出すことを「自己開示」といいます。ふだんは、言葉で自分のプライバシーや秘密を打ち明けるというかたちで行われることの多い自己開示ですが、彼女は「本当は誰にも見せたくないメガネ姿を見せた」というかたちをとったのでしょう。

もしかしたら、彼女はあなたのよそよそしい態度に不安や不満を感じているのかも。あなたも、もう少し自分のプライベートや秘密、弱点などを彼女に教えてあげましょう。きっと、確実に親密度が高くなります。

ただし、付き合いがマンネリ化しはじめた恋人がメガネ姿で現われたときは、あなたに対し**「自分の美しい姿を見せる価値はない」と考えている**可能性があります。残念ながら、恋の終わりは近いかもしれません。

ちなみに、いつもはコンタクトレンズをしている男性がデートにメガネで現れた場合は、単に「徹夜明けで目が疲れた」「コンタクトレンズをなくした」という理由が多いようですから、あまり深読みする必要はありません。

13

「歩くスピードが同じ」カップルは、関係がうまくいっている

親しいカップルの様子を観察してみると、男性が笑うと女性も笑い、女性が頬《ほお》づえをつくと男性も頬づえをつくというように、２人が同じしぐさをしています。

知らない間に、誰かとしゃべり方やしぐさが似てくることがあります。これを「**シンクロニー現象**」といいます。「単に、一緒にいる時間が長いから似てくるのでは？」と思っている人もいるようですが、嫌いな人とはいくら一緒にいてもシンクロニー現象は現れません。逆に、初対面でも意気投合して話がはずむと、表情やしぐさに現れます。

つまり、シンクロニー現象は親しい者同士の間でだけ発生するということ。もし、

異性の同僚やクラスメイトが、あなたのしゃべり方やしぐさを真似《まね》ているような気がしたら、その人はあなたに好意を持っているか、あなたを尊敬していると考えていいでしょう。

さらにこの現象は、親しければ親しいほど頻繁に起こります。

相手の気持ちがわからないときは、デート中にパートナーと足の出し方が揃《そろ》っているかどうか、歩くスピードが同じかどうかをチェックしてみましょう。

もし同じなら、2人の関係はうまくいっている証拠ですから安心してください。逆に、夫婦でも歩くスピードが大きく違っていたら、あまりうまくいっていないケースが考えられます。このままだと破局や離婚もあるかもしれません。どこがいけないのか、何が不足しているのかを真剣に考えてみてください。

ところで、この現象には可逆性があることが知られています。わかりやすくいうと、**わざと相手のしゃべり方やしぐさを真似ていると、親近感を持たれやすい**のです。

親しくなりたい異性がいたら、その人の真似をしてみましょう。きっと親しくなれるはずです。シンクロニー現象はしゃべり方やしぐさだけではなく、服装や趣味、食事の嗜好にまで現れますから、どうせ真似るならそこまで徹底してみましょう。

14

彼女の「衝動買い」が激しくなったら生理が近い

心理学者のフィッシャーによると、排卵期の女性は、自分以外の女性に対して攻撃的になる傾向があるそうです。排卵期から月経にかけて、女性は心身にさまざまな影響が出ます。

男女間の能力や才能に性差はありませんが、女性の身体が男性のそれよりもはるかにデリケートにできているのも、また事実です。

たとえば、十代半ばから始まる生理は、女性の心や身体に大きな負担をかけることが知られています。生理前になると、「イライラする」「落ち着かなくなる」「集中できなくなる」「不安になる」「頭痛がする」「疲れやすくなる」などの症状が現れ、なかには「生理が近づくと万引きをしたくなる」という女性もいるのです。これは、生理によるホルモンバランスの乱れが心身の乱れを誘発するために起こるとか。

またアメリカには、「排卵期から月経までの期間に女性が自動車を運転すると、ふだんの5倍も事故率が高くなる」「同時期に女性の自殺率が急増する」などのデータもあります。

このように、排卵期から月経までの間に女性の心身に起きるさまざまな症状のことを「月経前症候群」といいます。ちなみに、アメリカの刑務所で行われた調査によると、**収監されている女性の半数以上が月経前症候群のときに罪を犯した**ことがわかったそうです。

月経前症候群だからと犯罪に結びつく女性はごく一握りですが、生理が女性の心身に何らかの影響を与えることは明らかです。たとえば、衝動買いが激しくなるというのも、そのひとつ。これは、どうしようもないイライラを買い物によって解消しようという行動です。

もし、恋人が急に衝動買いを始めたら、厳しく注意するのではなく、心や身体が不安定であることを理解して、優しく注意してあげましょう。

15

「ブランド好き」は、周囲に認められたいと強く思っている

不況でも、一流ブランドは売上げを伸ばしているとか。その理由は「社会的承認欲求」を満たしてくれるから。ブランド品を持つことが、そのための近道なのです。

人間なら誰でも「誰かに認められたい」「みんなからほめられたい」という気持ちを持っています。この心理を「**社会的承認欲求**」といいます。

見え透いたお世辞だとわかっていても、ほめられて悪い気がしないのは、社会的承認欲求が満たされるためです。また、高価なブランド品を身につけるのも同じ理由です。

「そんなことはない。私は品質がいいから選んでいるだけ」と反論する人もいるでし

ょうが、もしそうだとしたら品質のよいノーブランド商品を選んでもいいはずです。あえてそうしないのは、やはりみんなに「素敵ね」「高かったんでしょう！」と羨《うらや》ましがられたいから。つまり、ブランド好きの人は社会的承認欲求が強い人といえます。

次に、ブランド好きをいくつかのタイプに分けてみたので、じっくり考えてください。

①さまざまなブランド品を全身につけている人

値段が高ければ高いほどいい商品、と考えているようです。もちろんそんなことはないので、思慮が浅い人といえるでしょう。

社交的で人付き合いが得意なため、友人として付き合うのなら楽しいですが、見栄っ張りなところもあるため、恋人や配偶者にするにはちょっと不安がつきまといます。遊び相手と考えたほうがよさそうです。

②同じブランド品を全身につけている人

どんなメーカーにも得手不得手なジャンルがあるはずです。にもかかわらず、それを無視して同じブランドで揃えるのは、意志が強いというよりも頑固です。他人の言葉に耳を貸そうとせず、その結果、失敗しても認めません。

また、人の好き嫌いがはっきりしているのも特徴で、嫌いな相手とは口もきいてくれません。残念ながら、友だちとしても付き合いにくい相手です。

③ブランドではなくデザインで選ぶ人

「カワイイと思って買ったらブランド品だった」と言う人です。他人のペースに合わせるのが苦手で、友だちも少ないといえるでしょう。しかし、付き合ってみるとかなり面白い人です。

16

スニーカー好きな男性は「束縛」を嫌う

靴は顔や洋服に比べて目につきにくいアイテムのため、オシャレをしていても手を抜きがちです。その結果、その人の本心や性格が表れるようになります。

オシャレは足もとからといいますが、靴にはその人の深層心理も表れます。

男性の場合、ビジネスのときは革靴が一般的でしょうから、チェックするのはオフのとき。さて、あなたの彼はどんな靴を履いてデートに来るでしょうか。

①ひも付きの革靴を履いてくる

本来ならリラックスしていい休日にも窮屈なひも付きの革靴を履いてくるのは、自

分の立場や仕事のことが忘れられない人です。このタイプは上昇志向が強く、仕事で成果を出すことが多いので、「恋人には絶対出世してほしい」と思っている人には最適の相手といえるでしょう。

②ひもなしの革靴を履いてくる

ひも付きほどではないけれど、革靴を選んだということは、やはり仕事を完全に忘れられないようです。几帳面《きちょうめん》なところがあり、会社では高評価を受けています。ただし、簡単に履けるひもなしの革靴を選んだということから、せっかちで落ち着きのない性格が考えられます。その結果、仕事で凡ミスがありがち。このタイプの男性が大成するためには、内助の功が必要です。

③スニーカーを履いてくる

足に負担がかからず動きやすいスニーカーを選んだということは、自由を大切にしたいと考えている証拠です。

あなたが「恋人は自分だけのもの。何から何まで知っておきたい」と考えている場合は、水と油の関係です。無理して付き合いを進めても、ケンカが絶えませんので注意してください。

また、会社でもマイペースに振る舞うため実力のわりに評価が低く、出世も遅めです。しかし、本人はまったく気にしていません。

④ひもなしのズックを履いてくる

靴を手入れするくらいなら買い替えたほうが楽と考えているようです。つまり、面倒くさがり屋ということ。飾らない性格で友人も多いタイプですが、仕事では努力不足が目立ちます。もう少し頑張ってくれれば、将来が明るいのですが。

このタイプの男性と結婚するなら、しっかり尻を叩いてあげましょう。

17

ハイヒールが好きな女性は「自己顕示欲」が強い

ハイヒールと健康の問題はいろいろと言われていますが、それでもハイヒールを履く女性はたくさんいます。ファッションのためだけでなく、「ハイヒールは男性に人気がある」というのも大きな理由のようです。

女性の芸能人の「お宅拝見」などでは、たくさんの靴を持っているタレントさんがいます。女性には靴好きな人が多いようで、その靴選びには趣味や嗜好がはっきり表れます。デートをしたら、彼女がどんな靴を履いてくるかチェックしてみましょう。

①ハイヒールを履いてくる

どんなに履き慣れている女性でも、ハイヒールは足に負担になります。それでもハイヒールを選んだということは、社会的承認欲求（54ページを参照）が強いといえます。あなたから「素敵だね」と言われたいという気持ちがあるのです。

無理をして履いてきたのですから、しっかりほめてあげましょう。さもないと、男性に人気があるので、フラれてしまいますよ。

②ローヒールを履いてくる

ファッション性よりも履きやすさ、歩きやすさを求めているところから、しっかりした考え方の持ち主のようです。あなたと一緒に長く歩きたいという気持ちの表れでもあります。

今後もうまくいきそうですし、結婚すればしっかりした奥さんになってくれるでしょう。良妻賢母の女性が理想なら、絶対に手放さないように。

③スニーカーを履いてくる

カジュアルな予定があるなら問題ありませんが、レストランや改まった場所へ行くのがわかっていながらスニーカーを履いてくるのは、周囲を気にしないタイプです。

自由気ままなところが魅力ともいえますが、このタイプと付き合うと、デートをドタキャンされたり、ある日突然別れを言い出されたりと、振り回されるようになります。女性との交際に慣れていない人は、避けたほうがよさそうです。

④ミュールを履いてくる

歩きやすさよりも見栄えを選んだことから、やはり社会的承認欲求の強さがうかがえます。また、素足を見せているので、あなたと親密になりたいという気持ちもあるのかもしれません。

18

ビニール傘でも気にしない人は、「臨機応変な心」の持ち主

最近は、100円ショップでも傘が売られています。こんな時代にウン万円もするブランド物の傘を買うのは、社会的承認欲求が強い証拠。「カッコいい」「素敵」とほめてあげれば、満面の笑みです。

傘をさすと、人の姿は隠れてしまいます。このことから、心理学的に**傘は自分自身を表し、権力や権威の象徴**と考えられています。

たとえば、**一流ブランドの傘をさしている人**は、社会的承認欲求の強い人です。「ほめられたい」という気持ちが強く、もし意中の相手がブランドの傘をさしていたら、必ずほめてあげること。

このタイプはけなされるのが大嫌いで、絶対にからかったりしないでください。「オ

ジサン臭～い」「その傘、派手すぎませんか」などと言うと、あっという間に嫌われてしまいます。

また、自己中心的で他人の意見を聞かない傾向があって、あなたの忠告や意見に耳を貸そうとしません。つまり、結婚式のスタイルや会場、新居の場所などを選ぶときにも、相手はあなたの希望を受け入れてくれないということ。100パーセント従う気がないなら、早めに別れたほうがよさそうです。

激安のビニール傘をさしている人は、それとは逆に、柔軟で臨機応変な心の持ち主です。あなたが正反対の意見を言っても真剣に取り合ってくれますから、信頼関係を築きやすいはずです。

しかし、上昇志向が不足気味で、出世の見込みはあまりありません。「貧しくても楽しい家庭が築ければいい」という人に向いているパートナーといえます。ただし、行き当たりばったりのところがあり、肝心なところは目を光らせておきましょう。

多少の雨なら傘をささないという人もいます。このタイプは、意志が強いか面倒くさがり屋のどちらか。

余っている傘を差し出しても受け取らなかったら意志が強い人です。最初は取っ付きにくいかもしれませんが、一度親しくなると絶対に裏切りません。頼もしい人といえるでしょう。

それに対し、**傘を差し出すと喜んで受け取る人**は、ただの面倒くさがり屋。「多少の雨なら傘をささない」というポリシーを持っているわけではなく、ずぼらなだけです。会社での評価もあまり高くないので、真剣な交際はすすめられないタイプです。

19

ふくよかな顔の人は、意外と〝小心者〟

「あの人は意地悪そうな顔をしている」「彼女は見るからに人がよさそうだよね」など、私たちは顔を見ただけで人の性格を判断することがあります。不思議なことに、それが当たっている場合が多いようです。

同僚やクラスメイトから「付き合ってほしい」と言われたときには、相手がどんな顔をしているか改めてじっくり観察しておけば、「付き合って失敗した」ということもないでしょう。

①全体的に丸みを帯びた肉づきのいい顔だちの人

とくに豊かな頬、たっぷりとしたアゴ、大きな鼻が特徴です。ふくよかな顔の人は見た目は大らかそうですが、実は小心者でいつもオドオドしています。理想はさほど高くなく、努力も苦手です。つまり、どちらかといえば怠けがちなことが多いため、あまり大成はしません。

しかし、小心者なところが幸いして、仕事でも人生でも大きな失敗をするケースはありません。そのため浮き沈みもあまりなく、安定した人生を送る人が多いようです。平々凡々とした生活が望みなら、よい相手かもしれません。

②額は広いわけではないが生えぎわが上がり、しまった口許《くちもと》の人

とにかく頭のよさは天下一品。何につけても理論的で、議論しはじめたら誰にも負けないところがあります。感受性も豊かで、音楽、絵画など芸術に対する感度も鋭く、繊細です。

その半面、誰とでも心を許して付き合える大らかで温かな気持ちに欠けるところがあります。人見知りをしたり、特定の人としか仲良くできない面もあり、集団のなかでは孤立するケースが多いようです。

また、運動が苦手な傾向が見られ、スポーツ好きな人やたくさんの友だちに囲まれて楽しみたいと考えている人のパートナーには向きません。

③がっしりと角張り、骨っぽいアゴで、眉骨、頬骨などが発達している人

このタイプの人は勇気や忍耐力があり、心に決めたことを必ずやりとげる強さを持っています。正義感も強く、好ましい性格の持ち主ですが、やや潔癖症で、融通の利かない面もあります。そのため、天真爛漫《らんまん》な人やだらしない性格の人は、付き合っていると気疲れするかもしれません。

また、優秀なうえに努力を惜しまないので、どんな仕事についても成功する可能性が高く、若くして頭角を現し、世間の評判を集めます。「結婚する人には絶対出世してほしい」と考えている女性には最適の相手といえるでしょう。

ただし、女性の場合は結婚よりも仕事に向いている人が多く、たとえ結婚しても子どもはいらないと考える傾向があります。子どもがたくさん欲しいと思っている男性には、残念ながら不向きな相手です。

20

たまご形の顔は〝弱気な〟八方美人

たまご形の顔は美人の条件になっていますが、実は自分に自信が持てない人が多く、他人のことばかり気にする弱気なところがあります。

顔の印象だけではなく、輪郭も性格や体格を知る手がかりになります。顔の輪郭はたまご形、八角形、長方形、台形、菱形《ひしがた》の5つに大別できるので、それぞれの性格を紹介しておきましょう。

①顔がたまご形　顔全体が丸みを帯び、きれいな楕円《だえん》形の輪郭をしている人は八方美人の優等生タイプです。誰とでもソツなく付き合うことができ、仕事では大きな失敗をしません。しかし、クヨクヨと小さなことを気に病み、ドーンと落ち込んだり被害妄想気味になる場合もあるので、このタイプと

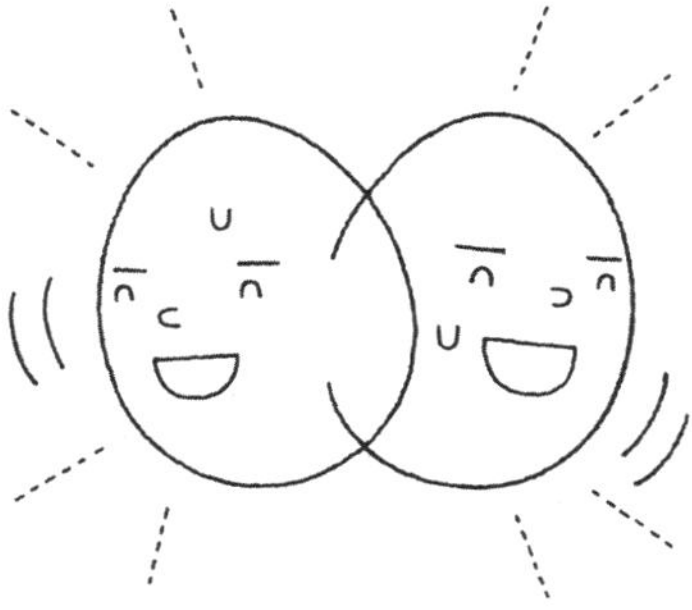

交際するときには注意しましょう。

②顔が八角形　顔全体の輪郭はたまご形に近いが、頬骨が張っていて全体にゴツゴツした印象がある人です。このタイプは強情で、人一倍のがんばり屋。一見、強い性格の持ち主のように見えますが、実は小心者で人の目が気になってしかたがありません。

③顔が長方形　顔が細長く、アゴとエラが張っている人です。子どもっぽいところがあり、夢のために家族を犠牲にしてしまうこともあるので、結婚する場合は要注意です。

④顔が台形　顔の下半分が発達していて、とくに頬からアゴにかけての肉づきがよい人です。常識人で経済観念もしっかりしており、周囲の信頼も厚いのが特徴です。男性の場合は女性関係に弱点があり、大成してもつまらない女性にだまされ、大事な家庭や仕事を失うことがあります。

⑤顔が菱形　頬骨が飛び出しているが、頬はこけて、アゴと頭の先が細い人です。神経質で、いったん気になったことをいつまでも忘れられないのが特徴です。女性の場合は行き届いた主婦や母親になる場合が多いようですが、世話好きなところがあまり強く出すぎると、「うっとうしい嫁」「うるさい母親」と言われるようになります。

21

「瞳が大きく」なったら、あなたを好きな証拠

中世のヨーロッパでは、貴婦人たちにベラドンナという毒草が大人気でした。なぜなら、ベラドンナには瞳孔を拡大させる働きがあったから。今も昔も、瞳の大きな女性は男性から好印象を持たれます。

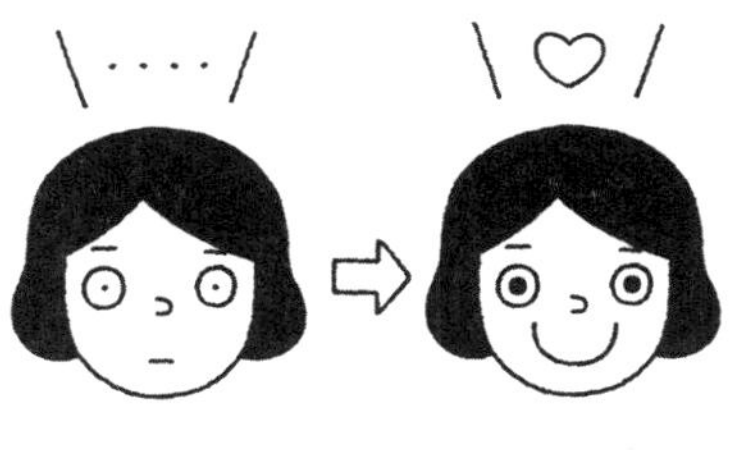

あるマンガの主人公の子猫は、楽しいことや好きなものが目の前に現れると、瞳がまん丸になります。なんとも愛らしい姿ですが、実はこれと同じことが人間にも起きるのです。

心理学者のヘスが、さまざまな種類の写真を見せ、どのような反応が起きるかを観察しました。その結果、男性の場合は女性のヌード写真を、女性は男性のヌードか子どもの写真を見たときに、最も瞳孔が拡大することがわかりました。

つまり、**人間の男女も「好きなもの」「興味があるもの」を見たときに瞳孔が拡大するということ**。もし、あなたを見つめたときに瞳孔が拡大した人がいたら、あなたに気があると考えていいでしょう。

ちなみに、人の瞳孔のサイズは2〜8ミリの間で変化しますが、年齢とともに縮小する傾向にあります。たとえば、20代の通常時が約4・7ミリなのに対し、40代になると4ミリまで小さくなります。

拡大したときも同様で、20代が約8ミリなのに対し、40代では約6ミリになります。いちいちメジャーで測るわけにはいきませんが、鏡をのぞき込んで自分の瞳の大きさをチェックしておけば、相手の瞳の変化もわかるはずです。

ところで、ヘスの実験にはまだ続きがあります。男性に女性の写真を2枚見せ、それぞれの印象を語ってもらったのです。

実は、写真に写っているのは同じ女性で、1枚目の写真は瞳孔が拡大しており、もう1枚の写真は瞳孔が縮小しているという違いだけでした。その結果、瞳孔が拡大している写真からは「魅力的」「かわいい」「柔和」という好印象を受けたのに対し、瞳孔が縮小している写真からは「冷たい」「利己的」「頑固」というあまりよくない印象を受けたことがわかりました。つまり、**好意を寄せている人に会うときには瞳を大きくしておいたほうがいい**わけです。

え、どうすれば大きくなるかって？　大丈夫、好きな相手の近くへ行けば、自然と大きくなります。

22

豪快に笑う人は、「細やかな情愛」を持っている

言葉以外のコミュニケーションを非言語コミュニケーションといいます。言葉には意識的な要素が多く含まれますが、非言語コミュニケーションには無意識的な要素が多く含まれています。

何気ないしぐさを見れば、その人の本音や性格がわかります。そこで、会話中に見られる代表的なしぐさの意味を紹介しておきましょう。今後のさまざまな恋愛のシーンに役立つと思います。

①豪快に笑う

周囲を気にせず大声で笑われると、「なんて無神経な人なのかしら」と思いがちで

すが、実はこのタイプの人は細やかな情愛を持っていますから、思い違いをしないでください。裏表があまりない人によく見られるしぐさなので、このタイプに「あなたのことが好きです」「絶対に幸せにしてみせます」と言われたら、信じていいでしょう。

②じっと見つめる

自分に自信を持っている人がよく見せるしぐさです。有言実行なので「豪快に笑う人」と同様に、信じてついていっても安心です。ときどき強引なところを見せますが、あなたに対する配慮は忘れていませんので、「もう少し待ってほしい」と頼めば、納得して引き下がってくれるはずです。

③上目づかいで見る

好ましくないことを考えているしぐさです。このタイプに「結婚を前提に交際してほしい」と言われても、身体やお金などほかに目的があると考えたほうがいいでしょう。

④目をそらす

自分の発言に自信が持てない人が見せるしぐさです。決断力が弱く優柔不断なので、相手に任せておくと、いつまでたっても2人の関係は進展しません。このタイプと結婚したいなら、さっさと主導権を握って自分の思いどおりに進めてしまいましょう。

⑤髪によく触れる

執着心や嫉妬心《しっとしん》が強い人が見せるしぐさです。あなたが「一夜だけの付き合い」と思っていても相手はなかなか離れようとしないでしょう。このタイプと付き合うときには真剣さが求められます。

⑥オドオドしている

「目をそらす人」と同様、自分の発言に自信が持てない証拠です。あともう一歩が踏み切れず、2人の関係を進展させるには、あなたからの積極的なアプローチが必要になります。

23

「ジェスチャー」を交えて話す人は情熱的

あなたと2人きりになったとき、恋人はどんなしゃべり方をしていますか。声は目に劣らず、人の心理状態や性格をよく表します。

「人の印象は話し方で決まる」と言う人もいますが、それくらい話し方から受ける印象は強いものです。相手の人がどんな話し方をするか考えてみましょう。

①大きな声で、しかも早口で話す

これは活発な人の典型的な話し方です。あなたの恋人は有能なビジネスパーソンのようですね。競争心が旺盛《おうせい》で出世欲が強く、完ぺき主義で些細《ささい》なミスも許すことができません。エリートコースを突っ走る人が多いのですが、循環器系の病気にかかりやすく、恋人がこのタイプの場合は定期健康診断

を受けさせるといいでしょう。

②大きな声ではきはき話す

自分の言いたいことを、あなたにしっかり伝えたいと思っています。つまり、真面目でまっすぐな性格といえるでしょう。ただし、ところかまわず大声を出す場合は、気配りが少し足らないようです。

基本的に有能な人ですが、もし大声で話す行為にわざとらしさが見えたり、周囲の人の目を気にしているような素振りが見られたら、社会的承認欲求がとくに強い人です。つまり、目立ちたがり屋でナルシスティックな性格の持ち主です。

③慎重に言葉を選んでゆっくり話す

なかなか自分の殻を破ろうとしない人ですが、あなたと親しくなりたいと思っているようです。言葉を選んでいるのは、あなたに嫌われたくないという気持ちの表れです。おっとりとした性格で、話し方と同様、のんびりした付き合いができるでしょう。

④小さな声で話す

自分の言葉や存在に自信が持てない人です。また、周囲の人に対し批判的な考えも持っています。悪口を言うときは、誰も聞いていないとわかっていても声が小さくなりますが、同様の心理が働くようです。

耳もとで囁《ささや》く人は、ちょっと押しつけがましいところもありますが、あなたに親近感を抱いています。

⑤ジェスチャーを交えて話す

感情の起伏が激しく情熱的な人です。燃えるような恋をしたいなら、うってつけの相手です。でも大風呂敷を広げるところがあり、その点には注意してください。

このタイプに気に入られたいと思ったら、楽しそうに話を聞いてあげましょう。

24

「視線」を合わせたときに微《ほほ》笑《え》む人は、八方美人

「目は口ほどにものを言う」と言いますが、相手の視線にどのような意味が込められているのかを正確に解読できないと、大きな勘違いをすることがあります。

通勤途中や取引先の会社などで、よく顔を見かける人に恋心を抱くことがあります。しかし、名前も知らない人にいきなり「付き合ってください」と言うのは気が引けます。変な人だと思われたら後で大変です。

こんなときは、気になる人を軽く見つめてください。そのときの反応を見れば、相手があなたをどう思っているかがある程度わかります。

①微笑んでくれた　「もしかして、相手も私のことを好きだったのかも」と喜ぶのは

早いようです。あなたに対して微笑んでくれたのは愛想《あいそ》がいいからで、きっと誰にでも同じように振る舞っているはず。悪い言葉でいえば「八方美人」ということになります。有頂天になって告白すると、「はぁ?」と驚かれますので注意してください。

②軽く見返した後、視線をはずした　微妙な反応に見えますが、見つめ返してくれたのは脈があると思っていいでしょう。こうしたアイコンタクトは友好的な関係を築きたいという気持ちの表れです。ポイントは「軽く見返した」というところ。恋人同士でもない関係が1秒以上見つめ合うことは滅多にありませんし、長く見つめているのは、威嚇《いかく》や敵意の気持ちを表しています。つまり、あまり長く見つめられていたら、逆に近づかないほうがいいということです。

③すぐに目をそらされた　うぬぼれの強い人は「私に気があるから、恥ずかしくて目をそらしたのだろう」と考えるかもしれませんが、このしぐさは自己防衛意識の表れです。「あなたに興味を持ってほしくない」ということですから、残念ですが諦めたほうがよさそうです。

25

〝両手で〟グラスを持つ人は、惚《ほ》れっぽい

「お酒を飲むと性格が変わるので恥ずかしい」と言う人がいますが、それは違います。お酒を飲むと本当の気持ちや性格が表れるだけなのです。

お酒を飲むと、大脳皮質の新皮質の働きが麻《ま》痺《ひ》します。その結果、ふだんは理性で抑えている本性があらわになります。つまり、お酒を飲ませれば恋人の隠された性格が判断できるということ。ここでは、手に注目して性格を探ってみましょう。

①両手でグラスを持つ

寂しがり屋で、恋に恋するタイプです。ちょっとしたきっかけで、どこといって取

り柄のない人に惚れこんでしまうことがあります。これは、相手が誰でもいいと思っているから。この人の目的は「誰かを愛する」ことではなく、単に恋をすることなのです。

本人は幸福感に浸れるので、それはそれで幸せといえるかもしれませんが、自己満足の恋に付き合わされるほうは、あまり楽しいとはいえませんね。

②必ず利き腕でグラスを持つ

あなたの恋人は、絶対に失敗したくないという気持ちが強いようです。攻撃的で、何でも完ぺきに仕上げないと気がすみません。

あなたを選んだのは、自分の趣味に完ぺきに合う相手と思ったから。ちょっとしたことで恋が冷めてしまうタイプなので、注意してください。

③小指を立ててグラスを持つ

見た目どおりちょっとキザな人ですが、案外お人好《ひとよ》しなところもあります。自信過剰なところがあるため、頼み事をするには最高の相手です。

女性でこういう持ち方をする人は、自分の容姿にかなり自信を持っていて「男性に誘われたい」と思っています。好みの女性だったら、すぐにアタックを！

④グラスの底を持ってお酒を豪快に飲みほす

楽天家で、努力という言葉とは無縁の人生を送っているようです。「物事はなるようにしかならない」と考えていて、どんな結果も受け入れることができます。

⑤お酒を飲まないときもグラスを手から放さない

他人にあまり関心がないタイプです。あなたが何か話しても、上の空で聞いていることが多いのではありませんか。

空になってもグラスを放さなかったら、自分だけの世界に没頭しがちな自己中心的な人です。一緒にいても、あまり楽しい人とはいえません。

26

「腕組み」の位置でわかる隠れた本音

異性との付き合いをうまく進めるポイントは緩急をつけること。あまり急ぎすぎると肘鉄《ひじてつ》を食らいかねません。相手が腕組みをしたら、「急ぎすぎた」と思ったほうがよさそうです。

人前で腕を組むというのは、相手に心を閉ざしている場合に多く見られる行為です。

たとえば、あるインタビュー番組の男性司会者は、ゲストが男性のときはいつも腕組みをしていますが、女性がゲストになると、ほとんど腕組みをしません。つまり、この司会者は女性タレントのインタビューをするのは好きでも、男性タレントはあまり好きではないかもしれません。もちろん、司会者がそんなことを口にするわけではありませんが、彼の行為が正直に物語っています。

また一般的に、女性は同性といるときにはほとんど腕組みをしませんが、男性と2人きりになると腕組みをする傾向があります。これは、「自分を守りたい」という防衛本能が働いている証拠です。

「腕組み」を上手に見極めるポイントは、次の3つです。

①腕組みをした「タイミング」はいつか

話をする前から腕組みをしているのは、最初から相手がこちらに引け目を感じている場合です。冗談や失敗談を話して、自分も同じレベルの人間だと伝えれば話がはずみます。

②腕組みをしている「位置」はどこか

胸を張って高い位置で腕を組んでいるのは、「自分のほうが偉いんだからな」というアピールです。言うまでもありませんが、こんな態度をとる異性とはうまく付き合えませんね。早々に別れましょう。

また、低い位置で身体を抱きかかえるように組んでいる場合は、「これ以上、あなたに近づいてもらいたくない」という防衛の姿勢です。もしかしたら、積極的にアプローチしすぎたのではありませんか。

③他のサインとの「組み合わせ」を確認する

腕組みしながら拳《こぶし》を握っているのは、「あなたのことを信用していない」という気持ちです。もし、あなたが嘘をついているなら、すでに相手はお見通しと思ってください。素直に「ごめんなさい」と謝ったほうがよさそうです。

また、背中を丸めるようにして腕を組むのは、不安や緊張を感じている証拠。親密な関係になれるのは、まだまだ先でしょう。

27

「貧乏ゆすり」をする人は、キレやすくて見栄っ張り

待ち合わせ時間に相手が現れないと、自分でも気がつかないうちに貧乏ゆすりをしていることがあります。このことからもわかるとおり、貧乏ゆすりは不満のはけ口です。

座っているときに、たえず膝《ひざ》を細かくゆするのを「貧乏ゆすり」といいます。膝をゆすっているところが空腹や寒さに震える貧者の姿に似ていることに由来した言葉で、女性にはあまり見られません。これは、女性が男性よりも自分の足を意識することが多いためといわれています。

貧乏ゆすりは、本人にとっては「している」という意識があまりなく、無意識にやっている場合が多いようです。ということは、その人の本心が貧乏ゆすりに隠されて

いることになります。一言で言ってしまうと、**貧乏ゆすりは欲求不満を解消しようとして発生する身体の動き**です。つまり、貧乏ゆすりをしている人は、何らかの不満や苛立《いらだ》ちを感じています。たとえば、仕事がうまくいくかどうか不安だ、彼女が約束の時間に来ない、上司に怒られた、などの出来事が心を乱しているのです。

このような状況に置かれたときだけ貧乏ゆすりをするなら、まだ安心です。貧乏ゆすりがクセになっている人は、情緒不安や精神不安を抱えている可能性が考えられます。もし恋人が頻繁に貧乏ゆすりをするようなら、ふだんの行動をチェックしてみてください。いつもイライラしていて落ち着かず、タバコを立て続けに吸ったり、テレビのチャンネルを頻繁に替えるなどの態度が見られたら、要注意です。

このタイプの男性は、気が弱いにもかかわらず、些細なことでキレて、欲求不満を暴力によって発散させる傾向があります。さらに、見栄っ張りなところもあり、分不相応な生活をして、ますます自分自身を追い詰めるようにもなりかねません。深い付き合いをするには適さない相手といえるでしょう。

女性が貧乏ゆすりをする男性を嫌悪するのは、「キレやすく暴力を振るう危険な人」ということを本能的に察知しているからかもしれません。

28

5分に1回「足を組み替える」人は、あなたの話にうんざりしている

動物行動学者のデズモンド・モリスは、「人間の心理は下半身に表れる」と語っています。つまり足に注目していれば、相手が何を考えているのかわかるということです。

「数回デートをしたんだけど、相手の気持ちがわからない。このまま交際を続けていいのかしら?」。こんな悩みを抱えているときには、相手の足に注目してみましょう。なぜなら、人間の本音は下半身に表れやすいからです。

①膝とつま先がまっすぐあなたのほうを向いている

言葉は素っ気なかったとしても、本心では「あなたと親しくなりたい」「あなたのことが好き」と思っています。相手もあなたの気持ちをつかめていないため、よそよ

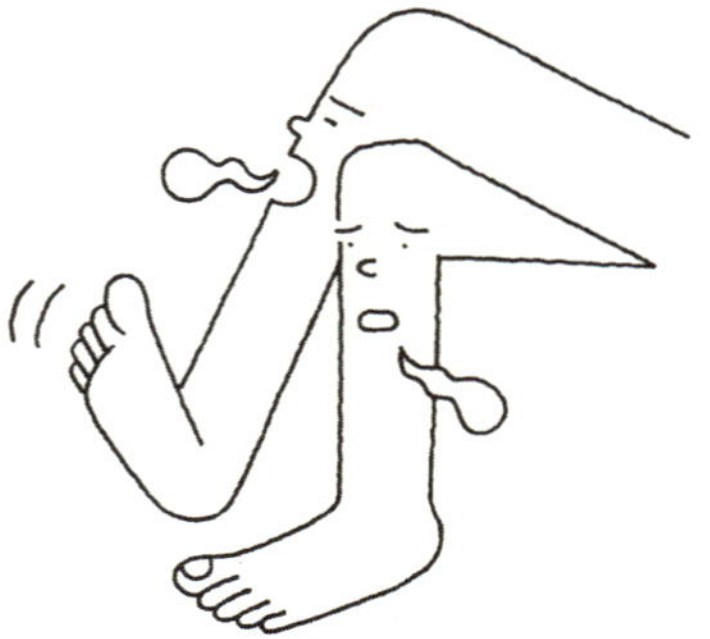

そしい態度になっているのかもしれません。あなたのほうから一歩踏み込んでみてはいかがでしょうか。

②足を組む

軽く組んでいるときはリラックスしている証拠です。会話が楽しく、あなたの意見に賛成ということを表していますから、脈があると考えていいでしょう。ただし、足をしっかり組んでいるときは、相手を拒絶していると考えられます。

③足を頻繁に組み替える

人は通常、10分に1度のペースで足を組み替えます。しかし、これが5分に1回以上になった場合、ストレスがたまっていると判断してください。つまり、会話やデート自体を早く切り上げたいと思っているのです。残念ながら、うまくいきそうにはありませんね。

④両膝をしっかりと閉じている

足をしっかり組んでいるときと同じように、強い拒絶のサインです。あなた自身、あるいはあなたの意見は完全に拒絶されていると考えましょう。

29

電車に乗ったとき、「手すり」につかまりたがる人は頑固者

車窓を流れる景色を眺めるのは楽しいもの。しかし、デートのときに相手が景色ばかり見ていたら、ちょっとがっかり。相手の精神年齢は、あなたよりかなり低いようです。

恋人と一緒に電車に乗る機会があったら、何につかまりたがるか、どこに立つかをチェックしておきましょう。今まで気づかなかった意外な一面が見えてくるかもしれません。

たとえば、**ドアの横にある手すりにつかまりたがる人**は頑固なところがあります。自分の考えを曲げようとしないので、些細なことで口論になりがちです。それに対し、**つり革につかまりたがる人**には柔軟性が見られます。自分の考えと違うことをあなたが口にしても、「そういう考え方もあるよね」

などと話を合わせてくれます。話ははずみますが、相手が男性の場合は「もう少し自分の意見を言ってもいいのでは」という不満を感じるかもしれません。

片手は手すりにつかまり、もう一方はつり革に伸ばす人は、石橋を叩いて渡る慎重派です。面白みはないかもしれませんが、結婚すれば堅実な家庭を築けるでしょう。

男性の場合は、何にもつかまらず車内の真ん中で踏ん張っている人もいます。これは、男らしさに憧れを抱いている証拠です。こんなタイプの気を引きたかったら、スポーツ観戦に誘ってみてはいかがでしょうか。

次に、立つ場所を見てみましょう。

車内の奥へ行かず、ドアの近くに陣取る人は合理的な考えの持ち主ですが、少し落ち着きが足りないところがあります。

車内の奥へ行きたがる人は、騒がしいところやイベントが苦手なことを表していま す。デートをするときには、美術館や静かな場所がいいでしょう。

まれに、**電車の連結部分に陣取りたがる人**がいます。このタイプは人とのコミュニケーションをとるのが苦手です。なわばり意識も強いため、親密になるには時間がかかりそうです。

30

「大の字」で寝る人は、開放的で嘘がつけない

恋人と一緒にベッドを共にする間柄になったら、相手の寝相をチェックしておきましょう。今まではわからなかった相手の性格が見えてきます。

精神分析医のサミュエル・ダンケルは、「寝相には深層心理が表れる」と主張しています。ダンケルは寝相を次のような4つに大別しました。あなたの恋人はどんなふうに寝ていますか。

①胎児型

横向きになり、膝を曲げて丸まって眠る人です。警戒心が強く自分の殻に閉じこもりがち。精神的に幼いところがあって、表には出さなくても、あなたに甘えたい、あなたに依存したい、あなたに守ってもらいたいという気持ちを抱えています。また、

人と付き合うのが苦手で友だちの数も少なく、心ゆくまで人生を楽しむことができない傾向があります。

ただし、ふだんは違う寝相なのに、珍しく胎児型で寝ている場合は、不安や心配事を抱えていることも考えられます。「どうしたの?」「何か心配事でもあるの?」と聞いてあげるといいでしょう。

②王様型

仰向けで手足を伸ばし、大の字で眠る人のこと。自分に自信があり、開放的な性格です。個性が強いため、あなたと衝突する場合もありますが、根に持たないタイプなので、すぐに仲直りできるはずです。また、隠し事もできない人なので、付き合っていて疑心暗鬼になることもありません。

この寝相は不安がないことを表しているので、今まで他の寝相だった人が王様型で寝るようになったら、抱えていた問題が解決できたと考えていいでしょう。

③横向き型

胎児型のように膝を曲げたり身体を丸めることなく、ただ横向きに寝る人です。自分の利き腕を下にして寝るケースが多いのも特徴です。

このタイプの人は常識的で協調性に富んでいます。性格も安定し、あまり激しく感情を表しません。波風の立たない結婚生活を望んでいる人には最適の相手でしょう。

④うつぶせ型

顔をベッドに押しつけて寝る人です。これは、母親にしがみついている姿を表しています。独占欲の強いところが見られ、自己中心的です。

さらに、他人のミスに厳しく、しかも許すことができない性格なので、ヤキモチを焼かれたり怒られるのが苦手な人には向かない相手です。

31

好奇心が旺盛な人は、「反発する人」に興味を持つ

どんなに打率の高いプロ野球選手でも、いつも同じバッティングをしていると、やがてピッチャーに打ち取られるようになります。大切なのは、常に攻め方を変えること。恋も同じです。

マスを釣るときとフナを釣るときでは、仕掛けも餌《えさ》も違います。それと同じように、意中の人の気を引きたかったら、相手のタイプによってアプローチを変える必要があります。4つのタイプを紹介しますので、参考にしてください。

①好奇心が旺盛な人

いち早くスマートフォンを持っているとか、常に流行のファッションやグッズを身につけている人はこのタイプ。好奇心が旺盛ということは、自分の知らないものや理

解できないものに興味を持つということですから、ふだんやらないことや行かないところへ誘ってみましょう。

言いなりになっていると興味を失ってしまうタイプなので、多少は反発すること。「なぜ、思いどおりにならないの?」と思わせるのが、うまく付き合うコツです。

②優柔不断な人

上司だけではなく同僚からも雑用を言いつけられている人は、このタイプです。こんな相手には積極的なアプローチが効果的。あまり親しくない関係でも、「今度、デートしない?」「食事にいきましょうよ!」とズバリ言えば、戸惑いながらもオーケーしてくれるはずです。

ただし、周囲の意見に惑わされやすいので、あなたの悪い噂《うわさ》が耳に入っていると警戒する恐れもあるでしょう。

③オタクっぽい人

昼休みにマンガを読んでいたり、何かの話題にとても詳しいところが見られたら、このタイプと考えていいでしょう。こんな相手にアプローチするには、あなたも得意分野を持つ必要があります。

ただし、相手とは違う分野を選ぶように。同じ分野ですと、話をしているうちに、付け焼き刃だとバレたりして軽蔑されてしまいますし、「自分より詳しい」と思われると相手を怒らせてしまうのです。

④きっちりしている人

いつも机の上や引き出しがきれいに整理整頓されているタイプです。デートに誘うときには、相手の予定を尊重するようにしてください。なぜなら、このタイプは一度決めた予定を変更することをとても嫌うからです。

「金曜日に食事にいかない？」ではなく、「空いている日に食事でもしませんか？」と聞きましょう。時間にも厳しいので、デートが決まったら約束の時間に遅れないこと。

32

人生で最も大切なのは「仕事」と答えた人には、お世辞攻撃が効果的

飲み会などで意中の人と同席する機会があったら何気なく、「あなたが人生のなかで最も大切だと思うものは何?」と聞いてみてください。答えによって、その人に対するアプローチの方法がわかります。

気になる人には、どのように接近すればいいか悩みます。この質問をするだけで、それからの展開の参考になるのです。

①「友だちや家族」と答えた人

博愛主義で、非利己的です。同僚や友人が困っているのを見ると、必ず救いの手を差し伸べてくれる頼もしい人といえるでしょう。

正義感が強いため、他人を馬鹿にしたような意見や不謹慎な冗談を口にすると嫌わ

れてしまうかも。このタイプと親しくなりたいなら、「今度、ボランティアに行きませんか？」が口説き文句になります。

②「一言では言えない」と答えた人

物事を合理的・理論的に判断するタイプなので、お世辞を言っても通用しませんし、回りくどい言い方も禁物です。「あなたのことが好きだから、交際したい」とズバリ本音で攻めましょう。

我が強い傾向があるため、相手の主張には黙って従ったほうがうまくいきます。

③「お金」と答えた人

言うまでもありませんが、世の中のすべてを「儲《もう》かるかどうか」「自分が得するかどうか」で判断するタイプです。自分に財力がない場合は諦めたほうがよさそうな相手です。

④「嗜好品（車や美術品など）」と答えた人

女性の場合は、きれいな花束を贈ると喜んでくれます。デートに誘うなら、クラシックのコンサートや美術展がいいでしょう。「何事もスマートに」が信条なので、相手が失敗するとあからさまに嫌な顔をします。一緒にいると疲れてしまうかも。

⑤「仕事や今の地位」と答えた人

人の上に立つのが大好きで、いつも自分が命令していないと気がすみません。このタイプを口説きたいときは、お世辞攻撃が効果的です。「カッコいい♪」「素敵だね」とほめちぎれば、きっとあなたのほうを向いてくれるはず。

ただし、このタイプの女性は、結婚すると「かかあ天下」になる可能性が高いので、その点には覚悟が必要です。

⑥「神様」と答えた人

世間のことにはあまり関心を持っていないタイプです。世俗から離れた生き方を望んでいることが多く、普通の恋愛や交際を望むのはちょっと難しいかもしれません。

33

「みんな、何にする？」と聞く人は、人なつっこい性格

最近、「人間関係がうまくつくれない」という人が増えています。恋人がそんなタイプだったら苦労するはず。付き合う前に、簡単なチェックで見極めてみましょう。

クラスメイトや会社の同僚たちと一緒に食事や飲みにいくことがあるでしょう。もし、そのなかに気になる人がいたら、料理や飲み物を注文するときに何と言うか聞き逃さないようにしてください。

①「オレ（私）、○○」と、まっさきに注文した

競争心が強いタイプです。才能も豊かで決断力もありますが、思慮不足で自分勝手なところがあって、出世は遅れがち。考えが甘いところもあり、このタイプと一緒に

生活すると苦労するかもしれません。

②「みんな、何にする?」と聞いた

人なつっこい性格で、みんなに好かれるタイプですが、自分の主張が少し足りないところも見られます。みんなの意見を聞いた後で、自分も同じものを頼んだ場合は協調性がある人、違うものを頼んだ場合は我が道を行くタイプです。

③みんなの意見を聞いてから「オレ(私)も同じもので」と言った

今所属している団体(クラスや会社の部署)に依存しているタイプで、みんなに嫌われてそこから排除されることを極端に恐れています。そのため、自分の考えを曲げても周囲に合わせるところがあります。これがかえって周囲の信頼を失うことになっているのですが、本人はそれに気づきません。

④ろくに注文も聞かず「みんなと同じで」と言った

自分に自信がないことを表しています。消極的で自分の考えを持っていません。男性の場合は、残念ながら頼りがいのある相手とはいえないでしょう。

⑤食べきれないほど料理を注文した

人数から考えれば適量はわかるはずです。にもかかわらず大量に注文したということは、計画性がなく慎重さに欠ける性格と考えられます。見栄っ張りなところも見られます。

⑥いつまでたっても決められない

食べたいものがまったく思い浮かばないのは決断力に欠けている人。あれもこれも食べたくて決められないのは欲張りな人です。

34

美しい文字を書くのは、「自意識過剰」なところがある人

手紙はメール、書類はパソコンを使って書くということが多くなりましたが、ちょっとしたメモや伝言は直筆で書くはず。文字や文章の書き方を見れば、付き合わなくても性格を見抜くことができます。

「文字は人をあらわす」といいますが、文字占いとか筆跡占いなどという占い方があります。自分の字や気になる人の字を注意して観察してください。

①丸文字を書く　自分の考えをあまり主張せず、他人の意見に黙って従うことを望んでいます。このタイプにアプローチするときは、押しの一手でいきましょう。とくに相手が女性の場合は、「オレについてこい！」と言えば、黙ってついてきてくれるはずです。しかも豊かな才能を秘めていて、内助の

功も期待できます。

②まるでペン習字の見本のような美しい文字を書く　自意識過剰なところがあるようです。とくに問題なのが、ところどころに続け字やくずし文字を使う人。「読めないのはあなたに学がないから」と思っているようですが、メモや伝言は相手に読めなければ意味がありません。これを理解できないのは、自己中心的な考え方を持っているため。他人を見下すところもあるので、恋人になっても楽しくないかもしれません。

③右肩上がりの文字を書く　最も一般的な文字ですが、はらいやはねの部分に注目してみてください。ここがはっきりしている人ほど精力的で、上昇志向が強いタイプです。出世も早そうなので、彼がこのタイプなら、重役夫人になりたい女性には理想的な相手でしょう。情熱的で、あなたを深く愛してくれますが、思い込みが激しいところがあり、浮気を疑われると大変なことになるかも。

④四角い文字を書く　まるで定規を使って書いたような文字の人は、ねばり強く几帳面で秩序を好むところがあります。礼儀正しく、他人に対して丁寧に振る舞うのも特徴です。一言で言えば「誠意のある人」。結婚するにはいい相手かもしれません。ただし要領が悪く、融通が利かない点もありますから、面白い人とはいえないようです。

35 引っ込み思案の人は、〝米粒のような〟小さな文字を書く

履歴書や入会申込書などは文字を書くためのスペースが決められていますが、米粒のような小さな文字をチマチマと書く人もいれば、大きな文字を書く人もいます。この2人の性格は違って当然です。

さて、筆跡鑑定の続きです。文字の大きさに注目してみましょう。あなたが気になる人は、どんな大きさの文字を書きますか。

①枠からはみ出しそうな大きな文字を書く

態度が堂々としており、与えられた環境や条件のなかで最大限に自分を主張できるので、人生で成功をつかむ人が多いようです。ただし、自分がしたいように行動するため、恋人や配偶者になった場合は翻弄《ほんろう》されることがあります。このタイプとうまくやるためには「一生信じてついていく」とい

う気持ちが必要です。

②米粒のような小さな文字を書く

文字が小さくなるのは、「勢いよく書いて、枠からはみ出してしまったらどうしよう」と考えているから。このことからもわかるとおり、弱気で引っ込み思案の人です。慎重な人と勘違いされることも多いようですが、本当に慎重なら誤読されないような大きさの文字を書くはず。相手のことを考えないというところから、独りよがりの性格も見えてきます。

さらに、何でもかんでも独占しないと気がすまない、つまりケチの傾向もあります。しっかりしていて頼もしいと思うかもしれませんが、お金を貯《た》めてもあなたのために使ってくれるとはかぎりません。

③枠にきっちり収めた文字を書く

文字の勢いを抑え込み、すべての文字を同じ大きさに揃えるのは「みんなにほめられたい」「注目されたい」と思っている証拠です。社会的承認欲求が強いタイプなので、歯の浮くようなお世辞で攻めると、あなたに心が傾くはずです。

ただし、自意識過剰なところも見られ、本気で交際を望んでいないなら、ちょっかいを出さないこと。冗談で声をかけると、「あの人にしつこくナンパされて困っている」と周囲に愚痴をこぼされる可能性があります。

④いつもは大きな文字を書くのに急に小さくなった

何らかのストレスにさらされていたり、心身の疲労を感じているようです。急に小さな字を書くようになったら、優しく接してあげましょう。

第2章 仕事編

ビジネスの世界は毎日、厳しい仕事の連続です。出世争いや仕事の奪い合いはますます激しくなり、仕事上の人間関係に悩む人も増えています。そこで、この章では、仕事の能力以上に求められることが多くなったコミュニケーションのとり方や、人の心のつかみ方を心理学的にサポートします。「同じ仕事をしているのに、なぜか他の人のほうが評価が高い」という疑問を持っている人は必読です。

36

「動物柄のネクタイ」をしている上司は他人に対する評価が厳しい

人は年齢とともに興味の対象が「動物→植物→石」と変化していくようです。これはファッションの好みにも表れますから、ネクタイの柄を見れば、その人の精神年齢がわかるということです。

ネクタイは、ビジネスマンがほぼ唯一個性を発揮できるファッションアイテムです。つまり、ネクタイの柄や色にはその人の嗜好《しこう》や性格が出るということ。ライバルや上司のネクタイをチェックすれば、どう対応すればいいのかわかるはずです。

①キャラクターや動物柄のネクタイをしている

「私は他の人とは違うんだ」「理解してもらえなくてもいい」と思っているようです。

他人を突き放したり、他人に対する評価が厳しいところがあるため、このタイプの上司を持ったらかなり苦労するはず。意外と精神年齢が低く、あまり先のことを考えずに行動する傾向もあるため、周囲との摩擦も多めです。

こんな人には取り入ることなど最初から考えず、与えられた仕事を淡々とこなすしかありません。ライバルがこのタイプの場合は、じわじわプレッシャーをかけてやりましょう。精神状態が不安定なところがあり、カッとして自滅するはずです。

②派手な柄物や色のネクタイをしている

キャラクターは付いていないが、水玉模様や赤、黄色など目立つネクタイをしている人は、「自分は積極的な人間だ」ということをアピールしています。上司がこのタイプの場合は、どんどん新企画を出して攻めの姿勢を見せましょう。

ただし、なかには気の小さいことを隠そうとして派手なネクタイを選んでいる人もいますから、攻めの姿勢に少しでも難色を示したら、すぐに撤回すること。

③地味な色で無地かストライプのネクタイをしている

ネクタイの印象そのままで、落ち着いていて常識的な考えの持ち主です。上司がこのタイプのネクタイをしている場合は、真摯《しんし》な態度で接しましょう。年齢的に若かったり、ふだんは落ち着きのない人がこのタイプのネクタイをするようになった場合は、「仕事ができるビジネスマンに見られたい」「大人っぽく見られたい」という願望を持ったと見られます。

ライバルがそうであれば、やる気を出した証拠ですから、うかうかしていられません。今まで以上に努力をして、相手の先を行くようにしましょう。

37

責任をすべて被《かぶ》る人は、「開き直っている」可能性がある

仕事にミスはつきものです。大切なのは、そのミスをどのように処理するかです。最初にやらなければならないのは、迷惑をかけた人への謝罪です。しかし、ただ謝ればいいというものではありません。

怒り方だけではなく、謝り方からも考えていることや性格を知ることができます。さて、あなたの部下や同僚は、ミスをしたときにどんな謝り方をしているでしょうか。

①「100パーセント私が悪いんです」「言い訳はしません。スミマセンでした」「原因はすべて私にあります。許してください」

のように、責任をすべて被ろうとする

一見するとよい謝り方のようですが、心のなかで「全面的に非を認めているんだか

ら、文句はないだろう。早く許してくれよ」「ミスを認めると言っているんだから、今回の件はこれでなかったことにしてくれ」と思っている誠意のない人です。これで話を切り上げようという気持ちが見え見えで、謝っている相手にもよい印象を与えません。

②「私は精一杯やったのですが、○○が妨害したため失敗に終わりました」のように、誰かに責任を転嫁する

外的帰属型（自分は悪くないという考え方）の謝罪です。ふだんから優越感を持ち、お世辞やほめ言葉に弱いタイプといえます。反省が不足しているので、同じ失敗を繰り返す傾向もあります、部下がこの謝り方をしたら、失敗の原因がどこにあるのか調べ直したほうがよさそうです。

③「申し訳ありませんでした。原因を調査し、再度挑戦します」のように、自分の責任を自覚している

内的帰属型（自分が悪いという考え方）の謝罪です。このタイプの人は責任感があり人望も厚いはず。同じミスを繰り返さない努力をするので、2度目のチャレンジではおそらく成功するでしょう。ただし、1人で責任をとろうとするので、ストレスに

悩まされる傾向があります。

④**「なぜこんな結果になったのか、理解に苦しみます」**のように、責任の所在を曖昧《あいまい》にする

責任感が弱く、いい加減なところがあります。当然、仕事面での評価もあまり高くはないでしょう。ただし、そのぶんストレスを受けることがなく、いつも元気でへこたれません。

38

受話器の上を持つ人は〝神経質で〟控えめな性格

インターネットやメールがどんなに普及しても、電話はビジネスに欠かせない必須アイテムです。受話器の持ち方やかけ方で、その人の気持ちや考え方が見えてきます。

電話をかけていると、周囲の状況が見えなくなりますね。つまり電話中は、ふだんは周囲の目を気にして隠している素の自分が出てしまうのです。他人が電話をしている姿にあまり注目したりしませんが、ライバルなどの気持ちが知りたいなら、今後は見逃さないことです。

①受話器の下を持つ人

会社で最もよく見かける持ち方です。それも当然で、相手との会話に集中している

と、この持ち方になります。手に力がこもっている場合は相手の話や提案に対し、どう答えるかを必死に考えているところ。また、肩で受話器を押さえているのは、資料などを真剣に探しているときに現れるしぐさです。いずれも頑張っている証《あかし》です。

このタイプはねばり強い性格の持ち主で、中途半端なことを嫌います。また、思い立ったらすぐ実行に移す行動派でもあります。部下がこのタイプなら、なかなかいい仕事をしていると安心してください。

②受話器の上を持つ人

神経質で控えめな性格の持ち主のようです。部下がこのタイプの場合は、あまりガミガミ怒りすぎると萎縮《いしゅく》して出社拒否になることもあるので、注意してください。ライバルがこのような持ち方をするのを目撃したら、一気呵成《かせい》に出るしかありません。

③受話器の真ん中を持つ人

気持ちが安定しており、温和な性格なようです。上司がこのタイプなら、どんなときでも感情的にならず正当な評価を下してくれるはず。人望も厚く人間的にも尊敬できるタイプですが、出世争いが厳しい会社では、温和な性格が災いして、うまく立ち回ることができません。社内の評価を上げるには、同じ部の同僚たちと協力して守り立ててあげる必要があります。

④受話器を両手で持つ人

いつもこのような持ち方をするのは用心深い人です。同僚や部下のことも信用せず、重要な仕事は独断専行で進めてしまいます。気が小さく用心深い面もあり、勝手に仕事を進めても滅多に失敗はしません。

ただし、いつもは違う持ち方をしている人が両手で持った場合は、注意が必要です。周囲に話を聞かれたくないと考えていますから、大失敗をしでかしたか、会社に不利益なことをやろうとしているのかもしれません。しばらく動向に注意を払ったほうがよさそうです。

⑤受話器から少し耳を離して持つ人

いつもこのような持ち方をするのは、相手の言っていることよりも、自分の発言が気になるナルシストタイプです。自分の才能や能力に自信を持ち、他人を見下すところがあります。部下がこのタイプだったら、扱いに苦労するかもしれません。たまにドカンと大きなカミナリを落として、考え方を改めさせるといいでしょう。

いつもは違う持ち方をしている人が受話器から耳を離したら、相手の話を聞く気がない証拠です。口では「申し訳ありませんでした」「お許しください」と言っていても、気持ちは裏腹。ただ「早く電話を切りたい」とだけ思っています。

⑥メモを取りながら受話器を持つ人

真面目で用意周到な人です。ただ、あまりにも真面目すぎて周囲から疎まれることもあるようです。真面目なのは悪いことではありませんが、もう少しリラックスさせてあげるといいでしょう。

しかし、電話をしはじめてからメモ帳を探す人は、行き当たりばったりの考え方の持ち主です。落ち着きがなく、仕事上の失敗も多いので、部下がこのタイプだと目が離せません。

⑦ノートやメモ帳に意味のない文字や図形を書きながら受話器を持つ人

これは貧乏ゆすりと同じ心理を表しています。つまり、電話の内容に不満や腹立たしさを感じているということ。受話器を置いたとたんに怒りを爆発させる可能性があるため、避難しておいたほうがよさそうです。

また、ペンなどで机を叩《たた》きながら受話器を持っている人も、これと同じ気持ちを抱えています。

39

別室に呼んで怒ってくれる上司には〝一生〟ついていこう

転んでもただでは起きないのが出世の秘訣《ひけつ》。上司に怒られるときでも、ただうなだれているのではなく、状況を冷静に判断して上司の性格を見抜きましょう。

どんなに有能な人でもミスはあります。上司に怒鳴りつけられることもあるでしょう。こんなときは、せっかくですから上司がどんな怒り方をするのかをチェックしておくように。チェックするポイントは、上司がどんな位置であなたを怒るかです。

①会議室や別室に呼びつけ、同じ目線の高さで怒る上司

あなたのことを一人前のビジネスパーソンと考えている証拠です。怒り方も感情的

ではなく、あなたのミスでどのような事態が引き起こされたのかをしっかり説明してくれますから、怒られることが仕事の肥やしになります。真摯な態度で話を聞き、十分に反省しましょう。もし、あなただけでは処理できないほど大きなミスを犯した場合は、一緒に責任をとってくれる頼もしい上司です。

②あなたを立たせたまま怒る上司

最もポピュラーな怒り方ですが、このタイプは自分の地位を絶対なものと考えています。つまり、自分とあなたの上下関係は決して覆らないもので、あなたは単なる使い捨ての駒としか思っていません。いつまでたってもあなたのことを一人前のビジネスパーソンとは認めてくれず、一生ついていく価値はなさそうです。

③あなたの席へやってきて見下ろしながら怒る上司

この上司も上下関係を大切にするタイプです。自分は高いところにいるのが当然と考え、あなたのことを見下ろしながら怒ったのです。出世がすべてと考えているので、失敗の責任が自分に及ぶことを極端に恐れ、あなたのことをかばってくれません。逆に、あなたが成果をあげた場合には、手柄を横取りされてしまう場合もありますから気をつけたほうがいいでしょう。

40

上目づかいに見る男と付き合うと〝身の破滅〟

複数の担当者がいる場合、どの人と付き合うかで仕事の成果が違ってきます。同じ付き合うなら自分に恩恵をもたらしてくれる人を選ぶのが吉。しかし、一目でそれを見抜くのは至難の業です。

仕事相手を選ぶ場合、「有能な人は誰か」を判断するよりも、ダメな人を選ぶほうが比較的簡単とされます。そこで、どんな人を排除すればいいのか、そのヒントを紹介しておきましょう。

①上目づかいにこちらを見る人

性格が弱いか、ずる賢い人がこんなしぐさを見せます。このタイプは、うまい話をもちかけてきますが、それが現実になることはないと思ったほうがいいでしょう。限りなく詐欺師《さぎし》に近いでしょう。こんな人と付き合っていたら、身の破滅です。

②目をそらして話す人

頭はよいのですが、何に対しても自信が持てず、そのため自己主張することもありません。常におっかなびっくりした態度をとり、人をリードすることもできませんから、出世は難しいはずです。こんなタイプにＯＫをもらっても、それはきっと覆されてしまうでしょう。つまり、いくら付き合っても時間の無駄ということです。

③常にオドオドしている人

何かに怯《おび》えたように動く人は、目をそらして話す人と同様、すべてのことに自信を持てないタイプです。千載一遇のチャンスを逃がすことが多いため、あなたがどんなによいオファーを提示しても乗ってきません。にもかかわらず、後で「あのとき、〇〇さんと契約すればよかった」と悔やみます。ダメ人間の典型といっていいでしょう。

④財布の中身を見せたがる人

見栄《みえ》っ張《ば》りで鼻持ちならない性格の持ち主です。口では大きなことを言っていますが、困難な事態に直面すると逃げ出すタイプ。しかも、うわべだけの知識しか持ち合わせていないことが多く、こんな人と一緒に仕事を進めると苦労が絶えません。

⑤動作がオーバーな人

一見、頼りがいがありそうですが、付き合えば付き合うほど信頼がおけなくなり、ついにはボロを出すタイプです。

⑥小股《こまた》でチョコチョコ歩く人

小心者の苦労性です。決して悪い人ではありませんが、信頼しすぎると上っていたハシゴを外されることがあります。

41

握った手を「放したがらない」人の頭の中

最近は、日本でも挨拶《あいさつ》のときに握手をすることが多くなりました。笑顔で力いっぱい握手をする人がいるかと思えば、反対に力のない握手をする人もいます。その違いはどこにあるのでしょうか。

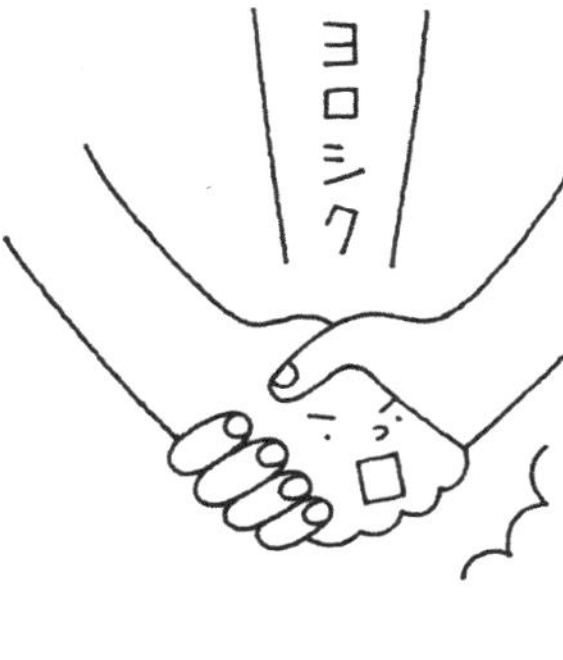

握手は他人の身体に直接触れる挨拶です。そのため、握手のしかたからも相手の本心を知ることができます。

①両手で握手をする

なかには両手で握ったただけでは満足できず、上下に揺さぶる人もいます。このような握手をするのは、喜びや悲しみを表に出さずにはいられない情熱家タイプです。

ただし、心身が弱っている場合もこのような握手をすることがあります。それは「頼りたい」という気持ちが強くなっているため。そのどちらが当てはまるかは、相手の顔色や力の入り具合で判断できるはずです。

②力をこめて握手する

自信家で、あらゆる面で精力的です。力が強ければ強いほど誠意があると考えられます。あなたも誰かと握手をするときは、こんなふうに力をこめて相手の手を握りましょう。

③握手に力が感じられない

あなたとの接触を避けているようです。取引先の担当者なら、「この仕事は面倒くさい」「やりたくない」と考えているようです。こんな担当者と組んでいては、よい成果は望めません。

④握った手を放したがらない

握手に挨拶以上の何かを求めていると考えられます。たとえば依頼心が強かったり、困っていて助けてもらいたいと思っている、などが考えられます。

また、このような握手をして、あなたの反応をうかがっている場合もあり、あまり親しくない相手や好意を持っていない人にこういう握手をされたら、警戒したほうがいいでしょう。

⑤手のひらに汗をかいている

緊張している証拠です。自信満々に見えても、実は不安がいっぱいです。嘘《うそ》をついている場合も考えられるため、このタイプが条件のよい話を持ち出しても鵜呑《うの》みにしないことです。

⑥握った手をすぐ顔に持っていく人

思っていることを隠すことのできない素直な性格です。この人の言うことなら信じていいでしょう。世話好きな面もありますから、頼りになります。

42

〝何気なく〟身体に触れてくる人は、警戒感を解こうとしている

「○○さんたら、イヤだぁ」などと言って、身体に触れてくる女性がいます。すると、不思議なことに急に親近感を覚えます。何もこれは異性にかぎったことではありません。

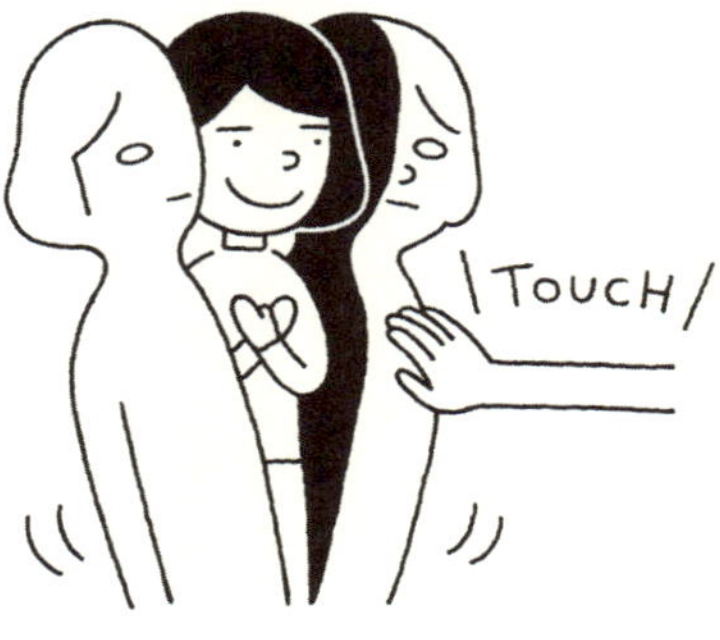

握手は人の印象に大きく左右します。これは、私たちがタッチング（触れられること）にとても敏感で、感情に強い影響を及ぼすからです。

それを証明するため、次のような実験が行われました。

被験者をA、B、Cグループに分け、次のような3つのパターンで初対面の人に会ってもらいました。

Aグループ……目隠しをしたまま、その人と会話をしてもらった。

Bグループ……目隠しをしたまま、しっかり握手をしてもらった。
Cグループ……目隠しも会話もなしで、ただ対面だけしてもらった。

その結果、相手に最もよい印象を持ったのは、目隠しをしたまま握手をしたBグループでした。彼らは一言も会話をしなかったにもかかわらず、「信頼できる人だという印象を持った」「温かい人だと感じた」という好印象を持ち、さらに48パーセントの人が「もう一度会いたい」と答えたのです。

逆に、最も悪い印象を受けたのはCグループで、「冷たい人という印象を受けた」「横暴な人だと思った」という意見が多かったそうですから、接し方でどんなに印象が異なるかがわかるでしょう。つまり、あなたに握手を求めてきたり肩をポンポン叩く人は、あなたに好印象を持ってもらいたいと考えている可能性が高いということ。そういえば、政治家も選挙のときには握手をしたがりますね。

心理学者のバーンランドが調べたところ、**日本人がコミュニケーションをとるときに最もよく触れられる部分は頭、手、肩**だそうです。つまり、その部分なら触れられても抵抗をあまり感じないわけです。成人の頭をなでるのはおかしなものですから、コミュニケーションをとりたいなら手や肩を狙いましょう。

43 「やっぱ」と口にする人は、想像力を働かせるのが苦手

「なくて七癖」という言葉がありますが、人には必ず口癖があるものです。どんな言葉をよく使うかによっても、その人の考えや性格を知ることができます。

「キミはもっと努力すべきだ」のように、「べき」という言葉を使いたがる人がいます。このタイプは先入観が強いため、こちらの気持ちが伝わりにくいのが特徴です。では、他の口癖はどうでしょうか。

①自分のことを「自分」と言う人

自分の強さをアピールしたいために使うことが多いようです。つまり、実際には内気で気が小さい人間でしょう。また、上下関係に敏感なところがあり、あなたと話し

ているときに「自分は……」と言った場合は、あなたのことを敬っていると考えていいでしょう。

②「昔は」と言う人

懐かしそうに昔話をするのは、今の自分に自信がなかったり、現状に満足していない証拠です。また、今の仕事では自分の実力を十分に発揮できないとも思っているので、ヘッドハンティングすると二つ返事で「イエス」と言ってくれる人です。このタイプは、うまく気持ちをくすぐってあげれば、あなたの思いどおりに動いてくれる人でもあります。

③「てゆ〜か」と言う人

これは反論の言葉ですが、「しかし」「でも」よりもオブラートに包んだソフトな言い方です。反論したいけれど相手を傷つけたくないという気持ちを表しています。言葉はちょっと軽めですが、意外と気配りに長《た》けた人といえるかもしれません。

④「やっぱ」と言う人

協調性は見られますが、物事を深く考えたり想像力を働かせるのが苦手なタイプです。努力することもあまり好きではないので、遊び相手にはいいでしょうが、一緒に仕事をすると、あなたにだけ負担がかかって苦労することになります。

⑤「でも」と言う人

反論するときには誰でも使う言葉ですが、何かにつけ「でも」と言う人がいたら注意してください。自己顕示欲が強く、常に自分が中心にいなければ気がすまないタイプです。自分が注目されていないと嫌なので、あなたが述べた意見を「でも」という言葉でひねり潰《つぶ》そうとしているのです。仕事のパートナーには選ばないほうがよさそうです。

⑥「とにかく」と言う人

相手の話を最後まで聞くことに耐えられないため、この言葉で話を引き取って強引に終わらせてしまいます。つまり、せっかちで短気な人ということ。商談相手が「とにかく」を連発する場合は、長々とした説明や交渉は逆効果です。いきなり最終的な条件を提示し、「これでいかがでしょうか」と回答を求めたほうが交渉はうまくいきます。

⑦自分の組織のことを「ウチ」と言う人

「ウチの会社では」のように「ウチ」という言葉を使う人はガードが堅く、あなたを受け入れたくないと思っています。ウチというのは「内」のことで、無意識のうちに、あなたは「外」、よそ者だと言っているのです。精神的に未熟な人が使うことが多く、付き合いには骨が折れるでしょう。商談のときに「ウチ」という言葉が飛び出したら、難しい交渉になると覚悟したほうがいいでしょう。

⑧ため息と一緒に「どーせ」と言う人

ため息は「いつもオレばかりが損をしている」という気持ちの表れです。新しいことを考えついても、それを実行に移すと誰かに横取りされると考えてしまい、行動は常に消極的で誰かの後をついていくことが多いのが特徴といえます。

ため息と一緒に「どーせ」という言葉を吐き出す人は、弱気のくせに自己顕示欲や被害者意識が強い人。もし上司がこんなタイプの人だったら、早めに転属願いを出したほうがいいでしょう。

44

給料が安ければ安いほど「仕事に満足できる」

給料は多ければ多いほうがいいと思っている人には信じられないかもしれませんが、「安ければ安いほどいい」こともあるようです。それは、ボランティアに参加する人の表情を見ればわかります。

「こんな仕事、やってられないよ」と不満をもらす人がいます。不満を解消しようとして給料を上げる経営者が多いようですが、それは大間違い。もしかすると給料が高すぎるから不満を言うのかもしれません。

これは心理学者のフェスティンガーが解明した「**認知的不協和の理論**」によって証明されています。フェスティンガーは被験者をAとBのグループに分け、Aグループには時給20ドル、Bグループには時給1ドルで同じ内容の単純作業をやってもらいました。さて、作業がすべて終了した後、「仕事が楽しかった」と答えたのは、どちらのグループだと思いますか。なんと驚いたことに、わずか時給1ドルしか支払わなかったBグループのほうだったのです。

時給1ドルというのは、相場よりはるかに安い金額です。当然、Bグループの人たちは「なぜ、そんな安い賃金で働かなくちゃいけないんだ?」と考えます。「自分の価値はそんなもんなんだ」という答えも浮かぶでしょう。しかし、そんなことは信じたくないはず。そしてたどり着くのが、「**この仕事は楽しいんだ。だから時給1ドルでやってるんだ**」という気持ちなのです。

それに対し、20ドルもらったAグループの人たちは、「お金のために仕事をやっている」と考えるため、単純作業を楽しむことができません。

世界中でたくさんの人がボランティアで働いています。その人たちの表情は明るく輝いていることが多いと思いませんか。その理由も、この認知的不協和の理論に求めることができます。つまり、彼らはお金のためではなく、自分の喜びのために仕事をしているわけです。

45

会議で「丸いテーブル」を用意する人の胸のうち

会議室の準備は面倒な作業です。しかし、ときどき率先して準備してくれる人がいます。ありがたい話ですが、もしかすると裏があるのかもしれません。

「会議が多いのは経営がうまくいっていない証拠だ」といわれますが、組織のなかで仕事をしている以上、会議から逃れることはできません。そして、場合によってはたった一度の会議が会社の命運を決することもあります。それだけ会議には気を遣う必要があるわけです。

しかし、テーブル選びに気を遣っている人がどれだけいるでしょうか。実は、テーブルの形というのは、その会議の行方を左右するほど重要なものなのです。

たとえば、ベトナム戦争終結後の和平会談では、アメリカと北ベトナムがたかがテーブルの形だけをめぐって、なんと半年以上も舌戦を繰り広げたといわれています。結局、この和平会談では楕円《だえん》形のテーブルが使われ、中央に白線があるように見えるテーブルクロスが敷かれました。この白線は国境線をイメージしたもので、まだ友好関係には至っていないことを表そうとしたわけです。

会社の方針や重要な決定を下す際に、このような楕円あるいは円形のテーブルを用意した人は、恐ろしい企みを抱えている場合があります。

丸いテーブルには参加者の地位を平均化する働きがあり、ブレインストーミングや新しい企画を考える会議など、全員で意見を言い合う会議に適しています。しかし、**議長や幹部の権限が発揮しにくくなる**ので、意見を集約するのが難しくなり、結論をまとめることができず混乱のうちに散会という結果になりやすいのです。つまり、「この会議は紛糾してほしい」と考えている可能性があるわけです。

それに対し、四角形のテーブルを使うと上下関係が明らかになり、リーダーシップを発揮して会議をまとめやすくなります。しかし、企画会議を四角形のテーブルで催すと、**出席者は緊張して発言を控える傾向がある**のです。もし、企画会議にあえて四角形のテーブルを持ち出した人がいたら、「よい企画など思い浮かばないほうがいい」と考えている可能性もあるということ。うがった見方かもしれませんが、注意するに越したことはありません。

46

正面に座った人は、あなたに「反論」しようと考えている

会議をスムーズに進めたい、自分の思いどおりにしたいと思ったら、テーブルの形だけではなく席次にも注意が必要。強敵はできるだけ末席に追いやることが勝利の秘訣です。

会議については、もうひとつ注意点がありま す。それは、ライバルが座る位置です。たとえば四角いテーブルで、できるだけ上座または地位の高い人のそばに座ろうとする人は、リーダーシップをとろうとしています。権威者の近くに座ることによって、虎の威を借りようとしているのです。

逆に、上座や地位の高い人から遠ざかれば遠ざかるほど、発言力は弱くなります。

そんなところに座っていたら、どんなに理路整然と説明をしても出席者の心には響き

ませんから、ライバルはこういうところに座らせるといいでしょう。もし、「進行係を務めさせていただきます」「記録をいたしますので」などと言ってライバルが上座に座ろうとしたら、「私がやります」と制しましょう。

ライバルが正面に座った場合は、あなたの説明や説得に異議を唱えようと考えている証拠です。このように反発者が正面に座りたがることを「**スティンザー効果**」といいます。もし、正面に座ったライバルが大量の資料を抱えていたら、重箱の隅を突《つつ》かれることを覚悟しておいたほうがいいでしょう。

ちなみにスティンザー効果には、「**ある意見が出た直後に行われる発言は、その意見に対する反論が多い**」というものもあります。つまり、あなたがAという意見を述べた場合、次に発言するのはライバルで、Bという反対意見を述べる可能性が高いということ。

これを防ぐためには、あなたに賛同する人にすぐ賛成意見を述べてもらうのが効果的です。賛同者が多いという印象をライバルに与えて、反対意見を述べる意欲を失わせることができます。

もし、ライバルが先に座っていたら、できるだけその人から遠くに座ること。それが末席の場合は、ライバルの隣に座ってしまうのも頭のいい手です。

また、会議室の出入り口付近、いわゆる末席に座りたがる人は、会議に意欲を持っていない証拠です。そのような人に発言を促したい場合は、できるだけ上座に座らせることです。

47

手を前に突き出す人は「指導力をアピール」している

1960年にケネディとニクソンの間で繰り広げられたアメリカ大統領選挙は、当初はケネディの圧倒的不利が囁《ささや》かれていました。しかし、結果はケネディの大勝。その理由はパフォーマンスにあったのです。

投票直前に行われたテレビ討論で、ニクソンはメイクアップを拒否し、背景に溶け込んでしまう灰色のスーツを着ました。それに対し、ケネディはメイクをして若々しい表情で新指導体制の必要性を訴え、有権者の心を大きく動かしたといわれています。

これをきっかけに、アメリカではパフォーマンスに関する研究が進み、いまやどの大統領も、必ずお抱えの「パフォーマー」がいるそうです。商談や演説をするときの

パフォーマンスが表している気持ちは、次のとおりです。

①しゃべりながら手を前に突き出す

自分には力強さとリーダーシップがあるとアピールしています。演説で握りこぶしを振り回されると、たしかに説得力を感じますね。

②背筋を伸ばして椅子《いす》に座る

私は元気です、礼儀正しい人物ですというアピール。逆に、背筋を曲げて椅子に座っている人は、私は元気がありません、あなたの話に興味もありませんという気持ちを表しています。

③言葉を言い間違える

精神科医のフロイトは、言い間違いにこそ真実が隠されていると語っています。たとえば、交渉相手にあなたの名前を間違われた場合は、「あなたではなく、○○さん（言い間違いで出た名前）と交渉したい」と考えているのかもしれません。また、説得中に言葉を間違える場合は、自分で自分の話や意見を信用していない証拠です。

④ゆっくりしゃべる

自分を知的に見せようと考えています。諭すようにしゃべる人は、あなたのことを見下していると考えられるので、意見や提案を聞いてもらうのは難しいかもしれません。

⑤質問を繰り返す

答えを持っていない証拠です。質問を繰り返すことによって時間を稼ぎ、その間に必死に答えを考えています。つぎつぎに質問を繰り返せば、馬脚を現すはずです。

48

「話を途中で切り上げる」人は、あなたと再会したがっている

「注文は、料理を出すまではしっかりと覚えているんだけど、料理を出し終わったとたんに忘れてしまうんだ」。あるウエイターがこう言ったのがきっかけで発見された心理効果があります。

「実は……こんな話があるんですよ」と言いはじめたとたん、腕時計に目をやって話を急に終わらせる人がいます。なんとも中途半端な気持ちで別れることになりますが、それは相手の作戦かもしれません。というのも、聞いていた話を突然中断されると、その話のことが忘れられなくなるからです。

未完了の作業は、完了した作業よりも記憶に残りやすいという心理があります。これを「**ツァイガルニク効果**」といいます。

心理学者のツァイガルニクはこの効果を証明するため、被験者にやらせていたある作業を途中で強制的に中断するという実験をしました。すると、記憶とはまったく別の効果もあることがわかったのです。

実験終了後、ツァイガルニクが被験者たちに「時間が余ったので、好きなことをやってけっこうです」と言ったところ、80パーセント以上の被験者が、強制的に中断させられた作業を再開しました。つまり、**記憶に残りやすいだけではなく、その作業を続けたい衝動に駆られる**というわけです。

テレビドラマやバラエティ番組は、話が盛り上がってきたり、主人公が絶体絶命のピンチを迎えたところで、CMが入ったり「次回へ続く」となりますね。実は、これは「ツァイガルニク効果」を利用したものです。いいところで話を切られたために記憶が鮮明に残り、さらに「なんとしてでも続きを見たい」という衝動にも駆られ、CMが入ったり、次のオンエアまで1週間あいていても、見ずにはいられなくなるわけです。

相手が新しい話を持ち出してきた状況を思い出してください。もしかして、先方のオファーに納得ができなかったり、こちらからそろそろ商談を切り上げようとしたときではありませんでしたか。

あなたが「この人とはもう二度と会うのをよそう」と思っていても、相手にツァイガルニク効果を使われると、「こんな話って何だろう？」と気になって、再会せずにはいられなくなってしまうものです。

49

待たせる人は、自分が「優位な立場にある」と思っている

日本人がファストフード店で待てる時間は、わずか32秒だそうです。カップラーメンでもできるまでには3分かかりますから、この32秒という時間はずいぶんと短いですね。

わずか32秒しか待てないファストフードとは違い、「美味《おい》しい」と評判のラーメン店の前には長蛇の列ができ、「1時間待ってでも食べたい」と言う人がいます。この違いはどこにあるのでしょうか。

一言でいってしまえば、**望んでいるかいないか、そして威厳を感じているかどうかの違い**です。「なんとしてでも、あのファストフードが食べたい」と思っている人はそうはいないはず。ほとんどの人は、安い、時間がない、店が近くにある、などの理

由でファストフード店へ行きます。つまり積極的に食べたいわけではなく、「しかたないから、ここを選んだ」という意識を持っているということ。当然、店に威厳も感じていませんから、32秒という短時間しか待つことができません。それに対し、評判のラーメン店には「食べたい」と望んで行きます。そのため、寒空でも1時間待つことができるのです。

この現象は人間関係にも当てはまります。たとえば、後輩や自分より下と思っている人が待ち合わせの時間に遅れると、たとえ1分でも腹立たしく感じますね。しかし、上司や先輩が30分遅れても、「○○さんは忙しいからな」と納得してしまいます。極端な話、あなたがアメリカ大統領との面会を許されたとしたら、数時間待たされても怒らないはずです。このように、**威厳がある相手ほど待てる時間は長くなります**。

この「待ち時間と威厳」の関係には可逆性があります。ちゃんと事前に約束をしたにもかかわらず、あなたのことをわざと待たせる人は、自分のことをビッグな存在と思わせたい、自分はあなたより優位な立場にある、と考えているというわけです。

実際に社会的地位が高い人ならやむを得ませんが、あなたと同程度の地位の人がこのような態度をとった場合、交渉や商談は難航することが予想されます。

50 長男・長女の言うことには「黙って従う」

「総領の甚六（長男・長女にはお人好《ひとよ》しが多い）」、末っ子や一人っ子は甘えん坊」は意外と当たっています。相手の家族構成がわかれば、うまく対応できるということです。

打ち合わせの合い間や、お茶を飲んでいるときの話のなかに、その人の家族のことが出てくるでしょう。そんなときは、家族構成による性格の違いを判断するチャンス。仕事で対応するときの正しいアプローチ法を紹介しておきましょう。

①長男・長女と仕事をする場合

第1子は幼い頃から「お兄ちゃんなんだから」「お姉ちゃんなんだから」と自立を

促され、「弟（妹）の面倒を見てね」とリーダーになることを命じられてきました。そのため、長男・長女の心のなかには、自分が優位に立つのが当然、自分がリーダーだという気持ちがあります。

命令を下されるよりも下すのが好きで、相手が上司やお得意先でも、自分が正しいと思ったらズバズバ反論します。長男・長女と親しくなりたいと思ったら、とにかく相手の言うことを素直に聞くことです。

②次男・次女以降で下に弟妹がいる場合

次男・次女は冒険心が強く、「何でも自分でやってみよう」という積極的な面があります。社交性も高いため、関係を築くのは簡単です。また、お世辞に弱いところがあり、ほめ言葉を絶やさなければ良好な人間関係を維持できます。

ただし、何かトラブルに巻き込まれると、あなたに相談やお願いを持ち込んでくるので、その点には注意したほうがいいでしょう。

③一人っ子・末っ子の場合

末っ子は長男・長女以上に大切に育てられることが多いようです。兄弟からもあれこれ面倒を見てもらえるので、どうしても甘やかされて育ちます。一人っ子の場合も両親の愛情を一身に受けて、ほぼ同じ育ち方をします。そんなわけで、いずれも自己中心的な性格になりがちで、協調性も不足気味。仕事でも付き合いにくい相手といえるでしょう。

もし、取引先の担当者が一人っ子あるいは末っ子だということがわかったら、とにかく優しく接すること。世話を焼いてあげれば、あなたに心を開いてくれるはずです。

また、芸術家肌なところがあり、創造力も豊かなので、その点をくすぐってもいいでしょう。ただし、飽きっぽいところもあるので、「あんなに世話してあげたのに」という経験をするかもしれません。

51

イベントの前に言い訳をする人は、「プライド」が高い

実力を過小評価されるのは耐えられないことです。そこで私たちは、自分のプライドが傷つく可能性があるときに、セルフハンディキャップという言い訳をします。

大切な会議やプレゼンテーションの当日に、「実は、あまりいい案が浮かばなかったんだよね。今日はきっとダメだよ」「昨夜は飲みすぎて寝不足なんだ。だから、頭が回らなくて、うまく相手を説得できないかも」などと言う人がいます。

これを心理学用語で「**セルフハンディキャップ**」といいます。重要なイベントが行われるときに、前もって自分には不利な条件があることを公言することで、「防衛的

セルフハンディキャップ」と「向上的セルフハンディキャップ」の2タイプに大別できます。

防衛的セルフハンディキャップは、失敗したときにも自分の評価を下げないために行われるものです。たとえば準備不足で会議を迎えたときに、冒頭のような発言をする場合がこれに当たります。「あいつの実力はこんなもんなのか。大したことないな」と思われないために使われます。

向上的セルフハンディキャップは、成功したときにより高い評価を得ようとする目的で行われるもので、本当はしっかり準備していたにもかかわらず、冒頭のような発言をする場合を指します。「ダメだと言っていたけど、想像以上にいい出来じゃないか」と言われたいために使うことが多いようです。

いずれにしても、セルフハンディキャップを使うのはプライドが高い人で、「こんなことで傷つけられたくない」と思っています。

単なる言い訳に聞こえるセルフハンディキャップですが、これにはかなりの効き目があります。自信のないイベントの前にこのセルフハンディキャップを行っておくと、結果がどうであっても、自分の評価を落とさずにすむのです。

ただし、あまり頻繁にこのセルフハンディキャップを使っていると、実際に準備不足になる場合があります。それは、事前に言い訳を思いついたことによって安心してしまうためなのですが、ふだんからセルフハンディキャップが多い人は、怠け者だと思って間違いありません。

52

他罰的言い訳をする人は〝要注意人物〟

仕事をしていると、ミスやトラブルが発生します。何か問題が起こった場合に、「これは自分が悪い」と考えるのは自罰的な人、「それは相手（他人）が悪い」と考えるのは他罰的な人とされます。

部下や後輩を叱《しか》ったとき、相手はどのような言い訳をしたでしょうか。言い訳のしかたによっては、今後の付き合い方を考えたほうがいい場合もあります。

代表的な言い訳と心のうちの関係は次のとおりです。

① **「私の責任です。申し訳ありませんでした」と言った**

これを自罰型の言い訳といいます（厳密には言い訳ではないが、便宜上これも含める)。責任感が強いのはわかりますが、すべての責任を自分1人で背負い込んでしまうためストレスがかかりやすく、何事にも消極的になりがちです。

②「最善を尽くしたんですが、相手が」と言った

自分に非があっても、「悪いのは相手で、私に一切の責任はない」と言い張ります。これを他罰型の言い訳といいます。自分の意見が受け入れられないと、暴力をふるって反抗する場合もありますから、あまり追い詰めないように。

③「なぜダメだったか、理由がよくわからないんですよね」と言った

無罰型の言い訳です。八方丸く収めようとする考えが見てとれます。周囲との摩擦は少ない人ですが、事なかれ主義者のところも見られます。

④「あれだけ努力したんですから、失敗しても本望ですよ」と言った

自分を正当化しようとする言い訳です。このタイプの人はエリート意識が強いようで、負けを認めようとしないところがあります。

⑤「運が悪かったんですね」と言った

抑圧型の言い訳です。自分の落ち度や力不足に薄々気づいていながら目をそらし、決してそれを認めようとしません。

⑥「次回もダメじゃないでしょうか」と言った

予防線を張っています。前項で紹介した、セルフハンディキャップ型の言い訳です。

⑦「全員の力が足らなかったんですね」と言った

巻き込み型の言い訳です。他の者にも責任があることを指摘しているのは、幼稚な考えの持ち主だということを表しています。

⑧「次は頑張ります」と言った

今回は特別だったから失敗したのだと主張し、責任を回避しています。同じ過ちを繰り返すタイプです。

53

「じっくり考えてくれ」と言う人は、かなりのくせ者

「よく考えておいてくれ」「今すぐキミの答えが聞きたいんだ」。難しいオファーを受ける場合、どちらの言い方に好感を覚えるでしょうか。大多数の人が前者と答えるでしょうが、それでは相手の思う壺《つぼ》。

望まない転勤やリスクのある仕事をあなたに依頼するとき、「答えは後でいいから、よく考えておいてくれないか」と言う上司がいます。一方的に命令されたわけではないので、「いい上司」という印象を持ちますが、もしかすると、それは相手の狡《こう》猾《かつ》な作戦かもしれません。

意外なことに、**人を説得する場合、多少時間をおいたほうが効果的**なことがわかっています。これを心理学用語で「**仮眠効果**」といいます。とくに仮眠効果が有効に働

くのが、難しい問題や、相手が「信憑性《しんぴょうせい》が低い」と考えている問題について説得する場合です。

依頼者は、依頼が難しければ難しいほど、すぐ返事が欲しいと考えるのが普通でしょう。なぜなら、相手に考える時間を与えると「ノー」と言われる可能性が高くなるような気がするのです。

しかし、実際にはその反対です。というのも、**説得された人は、時間の経過とともに自分が受けるデメリットや信憑性の低さなどのマイナス面を忘れてしまう傾向がある**からです。時間の経過とともに、説得されたという事実だけが記憶に残り、「説得されてもいいかな」という気持ちになります。

ちなみに、仮眠効果が表れる時間は人によって異なりますが、一般的には1～4週間といわれています。つまり、難しいオファーを受け「返事は10日くらい後でいいから」と言われたら、相手はこの仮眠効果の威力を知っていると考えていいでしょう。もし、どうしても受け入れられないオファーなら、あまり長く考えず「お断りします」ときっぱり断るべきです。

また、相手がなかなか結論を出してくれないとき、「ほかにも引き合いがありますので、今すぐ結論を出していただかないと、そちらの方に話が行ってしまいますよ」と迫ることがあります。しかし、このセリフに効果があるのは、相手に信頼を感じていたり、購入が比較的簡単な商品の場合だけということも覚えておいてください。

54

「おごってやるよ」と言う人は、優位に立ちたいと考えている

上司や先輩に「おごってやるよ」と言われることがあります。負担をかけると嫌われるのではないかと思い固辞する人もいるようですが、それは正反対。好意を無にすると、逆に嫌われることになります。

財力や社会的地位などの点で「自分が他の人よりも優れている」と考えることを「**優越感情**」（いわゆる優越感）といいます。この気持ちの裏には権力欲や支配欲、名誉欲などが隠れている場合が多いようです。

あたりまえのことですが、先輩や上司はあなたよりも社会的地位が高いと考えています。その気持ちの表れが「おごってやるよ」という言葉なのです。そして、これを断ると、相手の優越感情を傷つけることになります。

人には**自分に報酬を与えてくれる相手には好意を持ち、損失を与える相手には不快感を持つ**という心理があります。これを「**社会的交換理論**」といいます。報酬と好意、損失と不快感を交換するということです。相手の優越感情を傷つけると損失を与えていることになり、その結果、あなたは相手にとって不愉快な人物になってしまいます。

負担をかけては悪いと思って断ったにもかかわらず、嫌われてしまっては割に合いません。「おごってやるよ」と言われたときには素直に「ありがとうございます」と言って、おごってもらうようにしましょう。そうすれば、相手の優越感情を満足させることができ、好感を持たれます。

ただし、同僚やライバルにおごられるのは考えもの。相手に下心がなかったとしても、知らない間に相手に頭が上がらなくなってしまうからです。

相手が取引先の場合は、さらに注意が必要です。いつの間にか相手の言うことを断れなくなってしまい、仕事上のトラブルに巻き込まれる場合もあります。

そんなわけで、同僚やライバルと食事をするときには必ずワリカンにするように。さもないと、いざというときに相手を出し抜けなくなってしまいます。

ただし、取引先と食事をするときにワリカンにすると相手の面子《メンツ》を潰すようになるので、注意してください。そのときには、とりあえず素直にご馳走《ちそう》になり、後でお返しをすればいいでしょう。こうすれば、上下関係にならずにすみます。

55

威張りたがる人は「認めてもらいたい」と思っている

パソコンメーカーのカスタマーサポートで最もトラブルが多いのは、定年退職したばかりの男性だそうです。定年によって地位を失い、自分が認められていないと感じているためです。

例外もありますが、一流企業の社長や有名人、著名人は会ってみると意外と腰が低いものです。すでに社会的承認欲求（他人から尊敬されたい、認められたいという気持ち）が十分満たされているので、カラ威張りする必要がないのでしょう。逆に威張りたがるのは、会社員なら中間管理職が多いようです。

そういえば、お酒を飲んでケンカ騒ぎを起こしたり、車で事故を起こすタレントにも中堅どころが多いようですが、実はこれも社会的承認欲求が強すぎることが関係しています。相手が謝るべきなのに謝らなかった、相手の車が避けるべきだったなどと考えるために起きるのです。

このように、あまり社会的承認欲求が強くなりすぎると、権力を笠《かさ》に着て威張り散らし、あげくの果てに周囲に嫌われるようになります。まさに、「弱い犬ほどよく吠《ほ》える」という状態です。しかし、自分はそのことに気づいていません。

では、どんな威張り方が嫌われるのか、2つ紹介しておきましょう。

①自慢型

自分の持ち物や会社などを、誰彼かまわず自慢するタイプです。実は、その持ち物が借り物だったり、会社はたしかに立派だが自分は窓際ということも珍しくありません。そのフラストレーションを解消しようとして、たまたま手にした持ち物や、一流企業の威を借りるわけです。それを聞かされている人たちも、薄々その点に感づいていて、辟易しています。

②揚げ足取り型

誰かが失敗すると、「それ見たことか」と鬼の首を取ったように騒ぎ出すタイプです。内向的で根暗の人が、このような威張り方をする場合が多いようです。他人の失敗はとやかく言いますが、自分では「石橋を叩いても渡らない」ことが多いため、誰もその人の意見には同調しません。

威張り散らす人は尊敬されたいと望んでいますから、取り入るのは簡単。そう、お世辞を言ってあげればいいんです。ただし、周囲から「腰巾着《こしぎんちゃく》」「ゴマスリ」などと陰口をたたかれるのは覚悟してください。

56

自分の「弱点や欠点」をさらけ出す人は、あなたと親しくなりたい

弱点を攻撃されたらおしまいだと思い、ファイティングポーズをとったまま人と面会したら、絶対に親しくなれません。他人と親しくなるためには、ガードを思い切り下げる必要があります。

人間は本能的に、自分の弱点や欠点を隠そうとするものです。たとえば、ボクサーが戦いに挑むときのポーズを見ても、それがわかります。人間の身体のなかで最大の弱点はお腹《なか》と胸。そこでボクサーは、拳《こぶし》をかまえて胸を隠し、前屈みになってお腹を守るというファイティングポーズをとるわけです。

ところが、犬は人にかわいがってほしいときに、ゴロリとひっくり返ってお腹を見せます。犬だけではありません。猫やライオンなど、相手と友好関係を結びたいと考

えたときにお腹をさらけ出す動物は少なくありません。

人間だけではなく、野生の動物たちにとってもお腹は弱点です。百獣の王といわれるライオンも、お腹を草食動物の角で一突きされたら致命傷になります。その弱点をさらけ出すことによって、「自分には敵意がない」「あなたと親しくなりたい」という気持ちを相手に伝えているのです。

初対面のときや商談をするときに、聞いてもいないのに自分の弱点や欠点をペラペラしゃべる人がいます。これは、**動物がお腹を見せるのと同じ行動**です。つまりその人は、「あなたと親しくなりたい」と考えているわけです。敵意もないので、あなたもガードを下げて、「いやぁ、実は私も……」と腹を割って話せば、あっという間に親しくなれるはずです。

たとえば、新しく赴任した支店で、部下が全員自分より年上ということがあります。このような場合、相手には「年下のクセに」という妬《ねた》みもあって、なかなか部下たちの心がつかめないものです。

こんなときも自分の弱点を告げましょう。「私は地元のことはまったくわかりません。皆さんに一から教えていただきますので、よろしくお願いします」などと話すのです。すると部下たちは「じゃ、助けてやるとするか」と思います。

そんなことをすれば相手が付け上がるのではないかと心配する人もいるでしょうが、あなたの仕事の出来を見れば、尊敬の念を強く抱くはずです。

57

ほどほどのプレゼントをくれる人が〝最も危険〟

女性に次から次へ高価なプレゼントをする人がいます。こちらを振り向かせたいのはわかるものの、こんなことをすると、かえって相手の気持ちを遠ざけることになります。

高価なプレゼントを贈った人は、「きっと、相手は喜ぶはず」と考えます。しかし、そんなふうに考えているのは自分だけ。受け取ったほうは、「こんな高価なものをもらう理由がない」「何か下心があるに違いない」と、プレッシャーしか感じません。つまり、これは自己満足ということです。

それを証明するため、次のような実験が行われたことがあります。ある心理学者がギャンブル好きの人を3つのグループに分け、次の3種類の方法でお金を貸し与えま

した。

①**「利子をつけて返してほしい」と言って貸した**

②**「同じ額を返してくれればいい」と言って貸した**

③**「返す必要はない」と言って貸した**

その結果、②の「同じ額を返してくれればいい」と言われたグループが、心理学者に対して最もよい印象を持ったそうです。

このことから、プレゼントをもらった人には「プレゼントと同等のお返しをしなければ」という心理が働くと考えられます。さらに、プレゼントを贈る人も「これと同じくらいのお返しがあって当然」と考えていますから、ある意味、その気持ちは相手にも伝わっていると考えていいでしょう。

ちなみに「お返し」とは、金額のことだけを指すわけではありません。たとえば、取引先からプレゼントが届いたときは、仕事に便宜を図ってもらいたいという目的があるでしょうし、男性が女性にプレゼントを贈るときは身体が目的の場合もあるでしょう。

なかでも注意したいのが、ほどほどの金額のプレゼントをくれる人です。受け取るほうは「この程度なら問題ないだろう」と考えて気やすく受け取ってしまいますが、「同等のお返しはしなければならない」という気持ちも働くので、さまざまなかたちで便宜を図るようになります。ほどほどの金額のプレゼントをくれる人は、最初からそれが目当てなのかもしれません。

58

共通の〝敵〟の名前をあげる人は、あなたと親しくなりたがっている

ソ連がアフガニスタンに侵攻したとき、アメリカはあまりよい関係ではなかったアフガニスタンゲリラと手を組みました。それは「敵の敵は味方」という心理によるものです。

1962年、キューバにソ連の核ミサイルが配備されているのをCIAの偵察機が発見しました。アメリカは準戦時体制を発令してキューバ周辺の海上封鎖を行い、ソ連は核弾頭を装備した弾道ミサイル発射の準備態勢に入りました。

これは、いわゆる「キューバ危機」という事件で、あと一歩で核戦争という深刻な事態にまで発展したのです。幸い、土壇場でソ連が弾道ミサイルの撤去に踏み切ったため、核戦争は回避されました。しかし、アメリカとソ連のいがみ合いは、30年以上

続くことになりました。

ところが、それから20年ほど前の第二次世界大戦では、アメリカとソ連は仲良く手を組んで闘っていたのです。なぜ、仲良くできたのでしょうか。

その理由は、日本・ドイツ・イタリアという共通の敵があったためです。このように、本来は敵同士の人たちが、共通の敵が現れたとたんに共闘することがよくあります。これは、「敵の敵は味方」という心理によるものです。

「○○さんの言うこと、納得できませんよね」と、ふだんからあなたも苦手だと思っている人を名指しで非難するライバルは、この心理を利用して、あなたと親しくなりたいと考えている可能性があります。

ではなぜ、共通の敵をつくると親しくなれるのでしょうか。これは、心理学者のハイダーの「**バランス理論**」によって説明することができます。

まず、あなたをA、ライバルをB、共通の敵をCとします。正三角形の各々の頂点にA、B、Cと書き込み、好意的感情を「＋」、否定的感情を「－」で表します。ハイダーによると、**三辺の感情をかけ合わせて「＋」にならないと、人は激しい精神的苦痛を感じる**といいます。

あなたとBさんがCさんを嫌っている場合、「－」×「－」＝「＋」となります。ここで、あなたがBさんのことを嫌ったままだと「－」になるので、かけ合わせると「－」のインバランス状態になります。あなたはこの状態に強い精神的苦痛を感じるため、自然とBさんに好意的感情を抱くようになるのです。

59

「嫉妬心《しっとしん》」の強い人は、本当の気持ちを隠している

「嫉妬」という言葉を聞いただけで、男性はウンザリした顔をします。しかし、嫉妬はなにも恋愛だけに関係する感情ではありません。男性が仕事で見せる嫉妬は、女性よりも強いものです。

ある心理学者の調査によると、「男性は嫉妬を否定する傾向にあるが、女性は嫉妬を認めることが多い」という結論が出たそうです。ただし、これは「男性は嫉妬しない」という意味ではありません。嫉妬とは自尊心が傷つけられることによって起こる感情です。

嫉妬には「恋愛に対する嫉妬」と「対抗意識による嫉妬」の2種類がありますが、お金や名誉が好きな男性は、恋愛に対する嫉妬だけではなく、対抗意識による嫉妬も

起こしやすいことがわかっています。しかも、**嫉妬というのは「それを解消できるなら人を殺してもいい」と感じるほど強い感情で、アメリカでは殺人動機の第3位**になっています。

ところで、ちょっとしたことで嫉妬する人の心のなかには、次のような気持ちが潜んでいると考えられますから、覚えておいてください。

①自分の本当の気持ちを隠している

ふだん自分の気持ちをあまり口に出さない人は、自分でも気がつかないうちにストレスがたまっています。こんなときにライバルがよい営業成績をあげたり、きれいなガールフレンドと一緒にいるところを見ると、そのストレスが爆発し、強い嫉妬を見せます。

②被害者意識が強く、コンプレックスを持っている

何気ない一言で傷つき、「あいつはいつもオレのことを馬鹿にしている」「きっと、オレのいないところでも悪口を言っているに違いない」などと考えます。根も葉もない噂《うわさ》を流すことがあるため、腫《は》れ物に触るような対応が求められる相手です。

では、嫉妬されたときにはどうすればいいのでしょうか。浮気に対する嫉妬なら、その浮気をやめて恋人や配偶者に謝るしかありません。しかし、仕事上の嫉妬は相手の思い込みによって起きることが多いので、謝りようもありません。そんなときの特効薬は、何もせずに放っておくことです。

もし謝れば「やっぱりそうだった」と確信を深めたり、「オレを馬鹿にしている！」と相手の不満は募るばかり。何もせず放っておけば相手はだんだん怒りを静め、自分の愚かな考えを反省するようになります。

60

頭を下げた人は、「話が退屈だ」と思っている

交渉や商談をしているときに、相手の気持ちや考えがつかめたらどんなに楽でしょう。すべてを知るのは不可能でも、話に興味を持っているか否かはわかります。

交渉相手の気持ちを知るポイントは、顔や頭がどこを向いているかです。たとえば、話に興味を持ってくれているときは、あなたやあなたの示した資料に顔を向けたり、身を乗り出して両足を後ろに引くポーズをとる傾向があります。

交渉相手がこのポーズをとっていたら、契約締結は間近です。あと一押ししてみましょう。逆に、あなたの話に興味を持っていないときは、顔をそむけたり、首をかしげるように頭を左右いずれかに傾けます。頬《ほお》づえをついたり、椅子の背中にもたれかか

って両足を伸ばすこともあります。もし、このポーズが見られたら、これ以上の交渉は時間の無駄です。

また、悲しかったり恥ずかしい気持ちのときには、頭を下げるものです。何気なく口にしたあなたの一言が相手を傷つけたか、直前に何かあったのかもしれません。こんなときも早めに退散したほうがよさそうです。ライバルや上司、あるいはあまり友好的ではない交渉相手がアゴを突き出して顔を上げた場合は、あなたを軽蔑《けいべつ》しているようです。そのとき、もし作り話をしていたのなら、相手に嘘だとバレていると思ってください。これ以上、恥の上塗りをしないよう、すぐにやめましょう。

首を左右に振りながら「いい条件ですね」「次回、契約しましょう」と肯定的な意見を言った人は、嘘つきです。本心は、首を左右に振ったところにあります。つまり「話にならない条件です」「契約は無理ですね」と考えているということ。ぬか喜びして、上司に「契約できそうです！」と報告すると恥をかくようになるので、注意してください。言葉（言語コミュニケーション）は簡単に操ることができても、しぐさ（非言語コミュニケーション）は思いどおりにならないものです。言葉に惑わされず、相手のしぐさや表情、立ち居振る舞いに注目してみましょう。

61

お腹を〝ポン〟と叩く人は、手打ちを望んでいる

相手の表情には注目しても、お腹はノーチェックのはず。しかし、「腹黒い」「腹に一物《いちもつ》」などの言葉があるとおり、実は、お腹にはその人の気持ちがはっきり表れています。

男性はお腹でも感情や気持ちを表します。ゆったりした応接室でビジネスの交渉をするときは、相手のお腹に注目しましょう。

①お腹をポンと叩く人　交渉がしばらく続いた後でこのしぐさが見られたら、契約はもらったも同然といえます。これは「まだ少し不満はあるが、そろそろ手を打ちましょうか」という気持ちの表れです。ただし、このしぐさが見られるのは日本人だけです。

②お腹をさする人　このしぐさを見せるのは神経質な人です。些細《ささい》なところが気にな

るタイプなので、契約を締結するまでには相当に苦労するはずです。イライラせず、人生勉強だと思って交渉を続けましょう。

③お腹を突き出す人　太鼓腹でもないのに、椅子にふんぞり返ってお腹を突き出す人は、自分に自信がある証拠です。そのことを理解して、相手を立てながら交渉を続けましょう。ただし、このポーズに無理がある人は、「自分を大物に見せたい」と思っているだけで、実際には小さい人物の場合が多いようです。こんな素振りにだまされないようにしてください。

④お腹を引っ込める人　お腹を突き出すポーズとは逆に、自分に自信がない証拠です。また、不安だったり意気消沈しているときにも、このしぐさが見られます。ボクシングの試合では、相手のパンチを避《よ》ける際にこのポーズが見られますが、それと同様にあなたからの攻撃を避けようとしたり、あなたに反発していることも考えられます。

⑤ベルトを緩める人　食後でもないのにベルトを緩めるのは、緊張がとけた証拠です。攻めるならこのタイミングで。逆にベルトを締めるしぐさを見せた場合は、気合いを入れ直していると考えたほうがいいでしょう。相手はやる気満々ですから、あなたも負けないように気合いを入れ直してください。

62

胸をそらして歩く人は「自分を大きく」見せようとしている

お腹だけではなく、胸を使った言葉もたくさんあります。「胸先三寸」「胸のうち」「胸がすく」などなど。つまりこれは、胸にも人の気持ちがよく表れるということです。

仕事の交渉中に女性の胸をじっと見つめるわけにはいきませんが、男性の場合はちょうど目をそらすのによい位置です。相手を油断させておき、こっそり胸のうちをのぞいてみましょう。

胸からわかる気持ちは次のとおりです。

①胸を思い切り張る　いわゆる「そっくり返る」というしぐさです。そのイメージから受けるとおり、「自分は偉い」と考えているようです。社会的承認欲求が強いため、こんなタイプと交渉するときは相手を精一杯持ち上げるように。反論すると急に機嫌

が悪くなるので、注意してください。

②胸をかばおうとする　人間は危険を感じたときに、弱い部分をかばおうとします。胸をかばうしぐさも、こうした本能的な行動のひとつと考えていいでしょう。強いショックを受けたり、強烈に驚いたとき、恐怖に襲われたときなどに見られます。あなたの言ったことが衝撃的だったのかもしれません。少し考える時間を与えてあげましょう。

ただし、女性の場合は少し解釈が異なります。たとえば、素敵なプレゼントをすると大半の女性はこんなしぐさをしますね。つまり、女性の場合はうれしい気持ちを表している場合もあるので、あなたのオファーに喜んでいるのかもしれません。プライベートのときに女性がこのようなしぐさを見せたなら、性的な欲望が潜んでいる可能性もあります。

③胸をそらして上を向くように歩く　このしぐさをする人は、少しでも自分のことを大きく見せようとしています。身体の大きさだけではなく、自分の才能や存在を実際より大きく見せようとしている場合もあります。

63

腕を組みながら身体をゆする人は「話を聞いていない」

演劇では、出演者は大げさな手振りで感情を表現します。これは腕の動きも口ほどに雄弁ということを示しています。では腕のしぐさは、どのように読み解けばいいのでしょうか。

85ページで「腕組みをしている人は、あなたに心を閉ざしている」と紹介しましたが、一口に腕の組み方といってもさまざまです。交渉相手が腕を組んだら、それからどのような動きをするかに注目してください。

①腕を組みながら身体をゆする人

残念ながら、相手はあなたの話を真剣に聞いていないようです。暇つぶしのために付き合っているだけ。つまり、いくら熱心に説得しても時間の無駄ということ。最初

からこの話はなかったものと諦《あきら》め、他のところを当たるのが賢明です。

②頭の後ろで手を組む人

戦争の捕虜がよくこういうポーズをとらされています。これは、相手に対して「私は戦う意思がありません」ということを伝えるポーズです。交渉中に相手がこのポーズをとった場合は、「話はわかった。キミにすべて任せるよ」という気持ちと考えていいでしょう。ちなみに、すべて任せるといっても投げやりな気持ちではなく、あなたが信頼されている証拠ですから喜んでください。

③背中で腕を組む人

じっくり話を聞いてくれている、あるいは親身になってくれていると判断していいでしょう。こういうポーズをとるのは優しい心の持ち主で、相手を不快にさせまいと心がけている思いやりのある人です。信頼できる人なので、きっと力になってくれるはずです。

④腕を上げて背伸びする人

あなたと一緒にいることに疲れたというサインです。これ以上交渉を続けても迷惑がられるだけですから早く切り上げましょう。どうしても最後まで聞いてほしい商談や打ち合わせの途中でこのしぐさが見られたら、「お疲れだとは思いますが、もう少しお付き合いください」と一声をかけましょう。

⑤膝に手を置き、腕をつっぱる人

あなたのことを威圧しようとしているしぐさです。もし、商談中にこのような態度が見られたら、見込みはありません。これ以上の交渉は無駄なので、新しい条件や企画を用意してきたほうがいいでしょう。

64

相手の話に〝強引に〟割り込む人は、「自分のほうが地位が高い」と思っている

ビジネスのシーンではいろいろな出会いがありますが、たくさんの人がいる場では、相手がどういう立場の人かわからず、戸惑うことがあるでしょう。こんなとき、話をしている様子を見るだけで、上下関係が見えてきます。

パーティの席で2人連れの男性と話がはずみました。どうやら、彼らはあなたのお得意様の会社の幹部のようです。千載一遇のチャンスですが、ひとつ問題があります。どちらの地位が高いか、わからないのです。はた目には同年齢に見えますすし、どちらかが威張る様子も見えません。さて、どうすれば見分けられるでしょうか。

こんなときは、2人のしゃべり方に注目すれば一目瞭然《りょうぜん》です。たとえば目上の人

が目下の人に向かって話すときには、次のような特徴が見られます。

①リラックスしている

相手（目下の人）に気を遣う必要がないので、態度に余裕が見られます。

②相手の話に強引に割り込むことが多い

格下の話など最後まで聞いていられないという気持ちの表れです。マナー違反ですが、自分のほうが地位が高いという意識があるため、あまり気にしません。

③長くしゃべる

ある調査によると、社会的地位が高くなればなるほど、結婚式などのスピーチの時間が長くなる傾向があるそうです。これは、他人に自分の行動を抑制されることを望まないために起こります。

④相手を指差す

指差しは、心理学で「ワンアップポジションを形成する行為」といい、上位の人が下位の人に見せる行動です。指を差すことによって、お互いのポジションを明確にしようとしています。

⑤相手より先にフッと目をそらす

これも自分が優位に立っていることを示すしぐさです。目をそらされたほうは、不安に感じます。

目下の人が目上の人と話すときに見せるしぐさは、次のとおりです。

①言葉に詰まる

上下関係を意識して緊張するために起きます。

②相手の言葉によくうなずく

目上の人の話を引き出そうとするためです。

③会話中に相手の目を見る

私はあなたの話をしっかり聞いています、という主張です。

65

カメラに写った不愉快な顔は、「本心」を表している

「カメラ写りが悪いから写真を撮られるのが嫌いなの」と言う人がいます。しかし、写真に写っている姿は本当の姿なのです。どんなに表情を隠したつもりでも、隠しきれるものではありません。

『ライ・トゥ・ミー』という人気テレビドラマがあります。主人公の心理学者ライトマンが、犯罪者たちの表情やしぐさから嘘を見破ることで捜査の手助けをするという心理ドラマですが、実はライトマンにはモデルがいます。それはアメリカのポール・エクマン博士で、「20世紀の傑出した心理学者100人」にも選ばれた高名な心理学者です。

エクマン博士は、人間の表情には文化に依存しない普遍的な特徴があると主張して

います。つまり、**日本人でもアメリカ人でも、中国人でも、見せる表情は同じ**ということです。

たとえば、あなたのことを嫌っているらしいＡさんという同僚がいたとしましょう。本人が隠そうとしても嫌悪の表情は必ず出ます。しかも、それは万国共通の表情です。

しかし私たちの表情はめまぐるしく変化し、０・４秒以下の間に消えた表情は認識できません。そのため、Ａさんの気持ちをはっきり確認することができないのです。ところがビデオに撮ると、それが明らかになります。Ａさんの表情の変化をコマ送りすることによって、嫌悪の表情がありありと浮かんできます。

とはいうものの、会社の同僚や友人の気持ちを知るのに、わざわざビデオを録《と》って１コマ１コマ分析するというのは大げさすぎますね。そこでおすすめしたいのが、新年会や忘年会、社員旅行などで撮ったスナップ写真を１枚１枚見返してみるという方法です。忘年会で撮った写真に、Ａさんが嫌悪の表情であなたを見つめているところが写っていたとしましょう。もしかするとＡさんは「偶然だよ」と笑い飛ばすかもしれませんが、それは嘘です。カメラは１０００分の１秒の瞬間でも写し出すので、真実の表情がそこに写ってしまうのです。

66

「机の上」が散らかっている人はいつもトラブルを抱えている

机の上というのはいつの間にか散らかっていきます。このように秩序だった状態がしだいに無秩序になっていくことを、「エントロピー増大の法則」といいます。解決方法は自分で片付けることだけです。

机の上に書類や資料を山のように積み上げている人がいます。そんな人にかぎって、「散らかっているように見えるかもしれないけれど、自分ではどこに何があるか、ちゃんとわかってるんだ。これこそ、仕事ができる男の証拠だろう」とうそぶきます。

しかし心理学的に考えると、そうともいえないようです。机の上を見ると、その人の性格が見えてきます。

①机の上がいつも散らかっている

大らかな性格のため友人が多く、プライベートで付き合っていると楽しい人です。しかし仕事では詰めが甘く、いつも大小のトラブルを抱えています。なぜトラブルになったのか原因を客観的に分析しないので、同じようなトラブルを何度も繰り返します。そのため、社内での信頼度はいまひとつです。

②机の上も引き出しもきれい

想像どおり几帳面《きちようめん》です。頑固なところがあり、しかも人付き合いが苦手な性格ですから、友だちになるのは大変です。しかし、いったん心を開いてくれれば、義理堅いところがあり、とことん助けてくれるでしょう。仕事もできる人なので、入社や配置換えになったときは、まずはこんな人と親しくなることです。

③机の上はきれいだが、引き出しのなかは散らかっている

明るい性格で友好的です。しかも、仕事も人並み以上にできるため、ビジネスでもプライベートでも安心して付き合えます。

④机の上に私的なものを置いている

家族の写真や記念のトロフィー、誰かにもらったグッズなどを机の上に置くのが好きな人は、個性が強いところがあります。そのため、人によって評価は正反対。協調性が低くて、付き合うには苦労するかもしれません。

⑤机の上の配置をよく変える

落ち着きがないか、悩みを抱えている可能性が考えられます。いずれにせよ、仕事に集中できていません。

67

「新聞」を両手で広げて読む人はリラックスしている

始業前や昼休みに、上司や同僚が新聞に目を通していることがあります。どんな記事に興味があるのか気になるところですが、そんなことよりも、どんなふうに読んでいるかをチェックしておきましょう。

新聞を読んでいるとき、人は姿勢や持ち方に意識を集中することはありません。つまり、こんなところにも、性格や置かれている状況が表れるのです。

①両手で広げて読んでいる人

リラックスしていて落ち着いた性格です。トラブルに巻き込まれても取り乱さず、沈着冷静に処理できますから、頼もしい人といえるでしょう。

ただし、あまりにも沈着冷静すぎて、周囲への気配りが足りなくなることがあります。あなたの上司がこのタイプなら、そこをフォローしてあげれば怖いものなしです。

②机の上に新聞を置き、頬づえをついて読んでいる人

頬づえをつくのは反発や拒絶の気持ちがあることを表しています。しかし、一応落ち着いて新聞を読んでいることから、ストレスはまだそれほど高くないようです。つまり、自分の気に入らないこと、納得できないことが始まりつつあると考えられます。

部下や同僚がこのような新聞の読み方をしていたら「何か気になることでもあるの？」と聞いてあげましょう。そうすれば、トラブルの芽を小さなうちに摘めます。

③身体の一部に触れながら読んでいる人

身体に触れるのは、不安やストレスがあるからです。頬づえをついているときと同様、何か納得いかないことがあるようです。しかも、すでにその問題はかなり進行している様子です。

読み終わった後で「何か気になる記事でもあった？」と聞いて曖昧な答えが返ってきたら、問題のことで頭がいっぱいな証拠。手遅れにならないうちに何が起きているのかを確認し、救いの手を差し伸べてあげるべきでしょう。

④パラパラめくりながら読んでいる人

一般的な新聞には20万もの文字が印刷されています。パラパラめくって読めるような文字数ではありません。つまり、実際には読んでいないということ。イライラしていたり、不安や不満が相当たまっているようです。あまり近づかないほうがよさそうですね。

68

「携帯電話」を片時も手放さないのは〝孤独な人〟

電車内など携帯電話の使用を控えなければいけないところから一歩出ると、イライラや不安感から、すぐに電源を入れて操作しはじめる人がいます。携帯電話に支配されているようです。

携帯電話を片時も放そうとしないのは、自分では上手に使いこなしているつもりでも、実は携帯電話に支配されている人です。たとえば、たわいのないメールでも返事が来ないと「嫌われたのかも」と気に病み、来たメールには一刻も早く返事を出さなければ嫌われると思っています。

こう考える理由は、孤独を感じているから。このタイプは「携帯電話を持ってさえいれば、誰かといつもつながっていられる」と考えています。しかし、それは本当のつながりではありません。大切なのは、自分を本当に理解してくれる生身の人間と付き合うことなのですが、それを認めようとしないので、ますます孤独感に苛《さいな》まれる結果になります。

また、取引先から着信があったことがわかると、周囲など気にせず大きな声で電話をかけはじめるビジネスパーソンは、一見すると仕事ができるようですが、**さほど実力はなく、正確な判断力も持ち合わせていない人**です。

本人は胸を張って、「これも取引先のため。やはり、ビジネスはスピードが命ですから」と言うかもしれません。しかし、街角に立ったままでシビアなお金の話をするわけにはいきませんし、資料も確認できませんから、結局は後でまた電話をするようになり、二度手間です。

つまり「取引先のため」「仕事のため」というのは詭弁《きべん》で、迅速に電話をしたのは自分の不安を解消するためなのです。このことから、独りよがりという性格も見えてきます。

69

珍しい資格を取りたがるのは〝自分に自信がない〟人

珍しい資格を持っていることを自慢する人がいます。それは、自信をつけようとするための行動です。バカにすると立ち直れなくなるので、温かく見守ってあげましょう。

相手の気持ちを揺さぶって動揺させるためには、まず自分に自信をつける必要があります。なぜなら、自信が持てない人の言うことに気持ちを左右される人などいないからです。

しかし、日本人は基本的に引っ込み思案で消極的です。そのため、自分に自信が持てないという人がたくさんいます。なかには「キミには才能がある。もっと頑張りなさい」と上司にほめられても、「そんなこと言って、実力以上に働かせようとしているに違いない」と、うがった見方しかできない人もいます。

自信がない人は、自分に価値がないと思っていて、**理想とする自分の姿と現在の自分の姿が大きくかけ離れていることが多い**のが特徴です。理想があまりにも遠いところにあるため「今の自分はダメ」と考え、自分に自信が持てなくなってしまうのです。これを心理学では、「**自尊感情が低い状態**」といいます。

自尊感情を高めるためには、何かを達成することが早道です。すると「私にもできるじゃないか」「もしかすると、私はけっこうすごいのかも」という自尊感情が生まれます。

では、何を達成すればいいのでしょうか。最も手近なものは、資格の取得です。それも運転免許や英検のようにポピュラーなものではなく、危険物取扱者や気象予報士など意外性や難易度の高い資格の取得を目指します。そうすれば、周囲から「〇〇さん、すごい！」などと言われるので、自信が生まれるのです。

世の中には資格マニアといわれる人がいます。たとえば、タレントの西村知美さんは、手話技能検定二級、甲種防火管理者、上級救命講習修了、食品衛生責任者、玩具コンサルタントなどユニークな資格をたくさん持っています。おそらく西村さんは、テレビから受ける印象とは正反対に、自分に自信が持てないのかもしれません。

もちろん、これは一般人にも当てはまることですから、ライバルや同僚が「資格を取得した」と聞いたら、「あの人は自分に自信が持てないのだろう」と考えるべきでしょう。

商談時にあなたの「左側」に座ろうとする人は〝やり手〟

人の顔は左右対称ではありませんが、表情もまた左右で異なります。相手が何を考えているか知りたいときは、顔の左側に注目してください。逆に、あなたの真意を悟られたくないときは、顔の右側だけを見せること。

心理学者のサッカイムは、被験者たちにある人物の写真を複数見せ、「この人は、今どのような感情を持っていると思いますか?」という質問をしました。実はこのとき見せた写真は、ある人物の顔を中心線でカットし、右側だけの顔と左側だけの顔で合成したものでした。

人には「幸福」「悲しみ」「怒り」「嫌悪」「驚き」「恐怖」という6つの基本感情があるといわれています。この実験の結果、「幸福」以外の5つの表情は、顔の右側だ

けで合成した顔写真よりも、左側だけで合成した顔写真のほうが正確に読み取られることがわかりました。ちなみに、「幸福」の表情は左右に差は表れませんでした。

ところで、ビジネス交渉やお得意様を説得する場では、ときには嘘をつくことがあります。いや、嘘をつくことのほうが多いといっていいでしょう。しかし、その嘘がバレてしまうこともあります。これは、嘘をついているときに表れる微妙な表情変化を相手に読み取られているためです。

サッカイムの実験から、**嘘をバレにくくするためには、顔の左側を相手に見えないようにするのがポイント**だとわかります。相手の左側に座れば、自分の本音を悟られずに、相手の心のうちを知ることができるというわけです。

ふだん、そんなことを気にせずに人の顔を見ているつもりですが、人は誰かと会話をするときに、無意識に相手の左側の表情に注目しているという研究結果もあります。ビジネス交渉をするときに、あなたの正面ではなく、あえて左側に座ろうとする人がいたら、意識的か無意識かはわかりませんが、とにかく嘘を見破ろうとしている証拠です。なかなかのやり手ですので、注意してください。

第3章 子育て編

子どもが親のしぐさや口癖を真似《まね》しているのを見てびっくりすることがあります。これはモデリングという心理によるもの。さらに子どもは、親の性格や価値観までも受け継ぎます。「こんな子に育てたつもりはない」という人がいますが、実は親の一挙一動と育て方が大きく影響しているのです。この章では心理学的な考え方を応用して、子育てのヒントを紹介します。

71

注意を引こうとして嘘《うそ》をつくのは、「自分を大きく見せたい」から

アメリカ精神医学会の「精神疾患の診断・統計マニュアル」では、嘘は反社会的行動や問題行動、攻撃行動のひとつとされています。しかし、子どもの嘘のなかには叱《しか》ってはいけないものもあります。

お母さんに、「子育て中、最もショックを受けた出来事は何ですか?」というアンケートをとったところ、「子どもが嘘をついたこと」という答えが圧倒的に多かったそうです。

良い子だと思っていた我が子にだまされたときのショックは理解できますが、心理学者のホイトは「**親に嘘をついたとき、子どもは絶対だった親の束縛から自由になれる**」と語っています。つまり、子どもが嘘をつくようになったのは、自立した人格が形成されはじめたからで、喜ぶべきだというわ

けです。

しかし、なかには放置しておくと性格形成に悪い影響を与える嘘もあります。子どもがつくよい嘘と悪い嘘をしっかり見定め、叱るべきかどうかを判断してください。

ちなみに、子どもの嘘は次の7種類に分類することができます。

①大人の注意を引くための嘘

「僕は算数で100点しかとったことがないんだ」のように、自分の能力や持ち物を自慢したり、注目を浴びるためにつく嘘です。これに快感を覚えるとクセになるため、注意してください。

②遊びの嘘

医者でもないのにお医者さんごっこをするのも、これに含まれます。子どもの社会性を育て、想像力や構想力がはぐくまれるので、これはよい嘘です。

③能力欠如による嘘

出来事を正確に報告できないため、嘘が含まれてしまいます。やむを得ない嘘なので叱らないことです。

④報復のための嘘

嘘をつかれたことに対する仕返しです。仕返しという行為が正しくないことを指摘してあげる必要があります。

⑤罰を恐れるための嘘

怒られるのを避けるためにつく嘘です。正直に報告させる必要があります。

⑥欲しいものを得るための嘘

物質的な利益を得ようとしてつく嘘です。よくない嘘です。

⑦人をかばうための嘘

友だちなどを守るためにつく嘘です。忠誠心の強さから生まれるものですが、嘘はよくないと教えるべきでしょう。

72

「同じ言葉を繰り返す」のは、嘘をついている証拠

「いじめられていれば親に相談するはず」と大人は思いがちです。しかし、子どもは「お父さんは忙しいし、お母さんを心配させたくない」と考え、相談しないというケースがほとんどです。

文部科学省の調査によると、平成22年度に認知されたいじめ件数は7万5000件以上。しかも前年より増えたというのですから、いじめがいかに蔓延《まんえん》しているかがわかります。

我が子のことを心配して「学校で何か問題はない？　いじめられてない？」と、毎日のように聞いている親もいるでしょう。しかし、子どもは親に心配をかけたくないと考え、いじめられていても「大丈夫だよ」と嘘をつくケースが多いようです。

そんな状態から悲劇が起きないよう、子どもをよく観察して嘘を見破る必要があります。次のようなしぐさが見られたら、要注意です。

①同じ言葉を繰り返す

嘘をついていると、「親に信じてもらわないといけない」という心理が働きます。その結果「本当にいじめられていないよ。大丈夫、大丈夫だったら大丈夫。いじめられてないよ！」のように、同じ言葉を何度も繰り返す傾向が見られます。大丈夫と言えば言うほど、実は大丈夫ではないというわけです。

②返事が早く返ってくる

返事するまでに時間がかかると「嘘がバレる」と考えるため、ふだんより返事が早くなります。たとえば、あなたが「学校でいじめられてない？」と言い終わるより先に返事が返ってきます。

③よくしゃべる

嘘がバレたらどうしようと不安になると、ふだんよりよくしゃべるようになります。ただ「大丈夫」という返事を聞きたかっただけなのに、「大丈夫だよ。ほら、怪我もしてないし、お小遣いだって取られてないだろう。お母さん、心配しすぎだよ」と、饒舌《じょうぜつ》になったら要注意です。

④口を隠す

嘘をついていることを見破られたくないという気持ちの表れです。指先で唇に触れたり、唇を口のなかに隠すときも要注意です。

⑤手をポケットに入れる

手の動きで嘘がバレるのではないかと恐れています。

⑥落ち着きがなくなる

嘘がバレるのではないかと不安になり、緊張しているためです。

73 触れられたくないことを聞かれると、「考えるような素振り」を見せる

人は誰でもコンプレックスを持っています。コンプレックスとは、言い換えれば劣等感のことですが、いじめられているときも、子どもたちはコンプレックスを感じています。

引き続き、子どもが隠している秘密や触れたがらない話題を探る方法を紹介します。

たとえば、我が子がいじめにあっているとしましょう。しかし本人はそれを認めようとしません。こんなときは**コンプレックス指数**を計測してみるといいでしょう。コンプレックス指数とは回答までにかかる時間のことで、それには触れられたくないと思っている質問ほど回答が遅くなる傾向があります。

「チョコレート好きだよね」「夏休みはまた、お婆ちゃんのところへ行こうね」「とこ

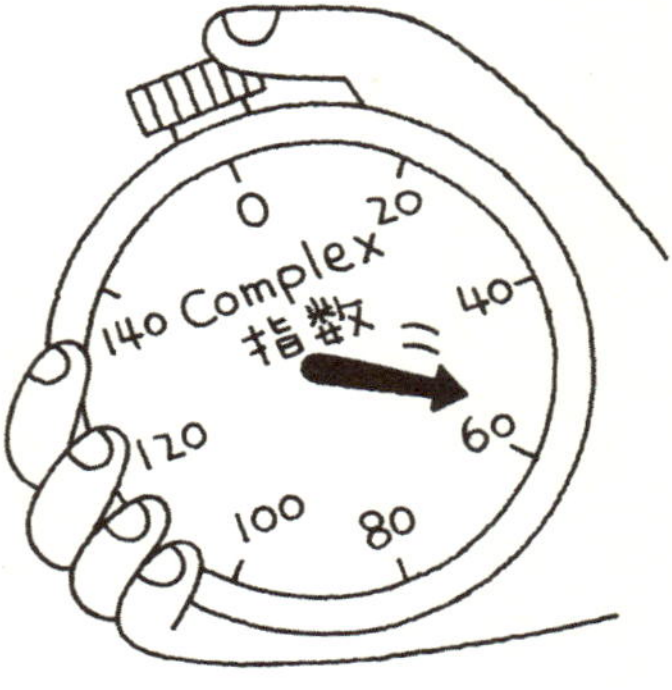

ろで、クラスの友だちは優しい?」という3つの質問をしたとしましょう。最後の質問に答えるときだけ子どもが考えるような素振りを見せたら、それは触れられたくない質問ということ。どうやら、いじめられている可能性が高いようです。

コンプレックスを感じているしぐさには、「**考えるような素振りを見せる**」のほかにも、「**聞こえないふりをして聞き返す**」「**返事をしないで苦笑いを浮かべる**」「**質問を繰り返す**」などの反応があります。こんなとき、大人は「なぜ答えてくれないの?」「わかった、本当は優しくないんでしょう」と畳みかけますが、これは子どもを追い詰めることになるため、絶対にやめましょう。

また、触れたくないことや面倒くさいことをしゃべるときには、相手との距離をおこうとする傾向もあります。たとえば我が子に、「クラスの友だちのことについて聞きたいんだけど、和室に行かない?」と言ったとしましょう。そのとき、ふだんよりあなたと離れて座った場合は、「その話題には触れてほしくない」と心で語っています。つまり、話し合う前から「いじめられている」と告白しているようなものです。

このように、何気ないしぐさや言葉から触れられたくないことを探っておけば、子どもにストレスを与えずにすみます。

74

「ガム好きな子」は不安を抱えている

赤ちゃんが最も幸せそうにしているのは、お母さんのお乳を吸っているときです。指しゃぶりやガムを噛《か》むのは、このときの心地《ここち》よさが忘れられないため。つまり、母のぬくもりを求めているわけです。

昔は虫歯の原因になるといわれ、お母さん方に敬遠されたガムですが、低カロリーで虫歯を予防するキシリトールという甘味料が添加されるようになってから、人気が急上昇。今では日本学校保健会や日本学校歯科医会が「ガムを噛みましょう」と推薦しているほどです。

たとえキシリトールが入っていなくても、ガムには大きな効能があります。それは、**緊張を和らげリラックス効果をもたらしてくれる**というもの。赤ちゃんの指しゃぶり

と同じ心理効果です。赤ちゃんは、お腹《なか》が空《す》いているから指をしゃぶるわけではありません。自分の身体の一部を口に含むことによって、安心感を得ようとしているのです。

つまり、授業中もガムをくちゃくちゃ噛んでいる子は、安心感を得なければならない状態と考えられます。何らかの強い緊張や恐怖、ストレスにさらされていたり、不安な気持ちを抱えているということです。授業中にガムを噛むのは規則違反ですから怒られてもしかたありませんが、このタイプの子をあまり強く叱りつけると、ストレスに押しつぶされて登校拒否を引き起こしかねませんので、注意してください。

余談になりますが、ガムには三半規管を安定させる働きもあります。そのため、ガムを噛んでいれば乗り物酔いしにくくなるのです。遠足や課外授業のときは、「ガムOK」としたほうがよさそうですね。

最近、過食症に悩む少年少女が増えているそうですが、その原因もストレスにあります。彼らはストレスを解消しようとして食べ物を口に運んでいるのです。食べたいから食べるのではなく、安心したいから食べるということ。ただ「やめなさい!」と注意するのではなく、不安やストレスの原因を取り除いてあげる必要があります。

75

男性は、女性の「ダイエット」をどう思っているか

肥満度を表す指数にBMIがあります。標準的なBMIは22ですが、女子大生にアンケートをとったところ、「自分は標準だと思う」と答えた人のBMIの平均はわずか19・2でした。

タレントやモデルの体型を目指し、無理なダイエットをする女子が増えています。育ち盛りの時期に十分な栄養を摂《と》らないと心身に悪影響が及び、最悪の場合は摂食障害を発症して、過食と拒食を繰り返すことになります。

摂食障害になりやすいのは次のような女子なので、心当たりがあったら、ふだんから注意してあげましょう。

①母子関係がうまくいっていない女子

「母親みたいになりたくない！」という心理が強くなり、食事を摂らないことで成長を拒絶します。

②意志が強い女子

食欲を自分でコントロールすることに価値があると考えているので、摂食障害（拒食症）になりやすい傾向があります。

③他人からどう見られているかとても気にする女子

「ちょっと太ったんじゃない？」という何気ない一言に強いショックを受け、「痩《や》せたね」と言われると喜びを感じ、無理なダイエットに走ります。

④真面目な女子

真面目なのでストレスがたまりやすく、それを食事で紛らわそうとします。

ダイエットをやめさせるのは至難の業です。しかし、だからといって放置しておくわけにはいきません。そんなときは、「ダイエットをしていると男子にモテなくなる」と教えてあげるといいでしょう。

ある心理学者が、女性には「男性が望むと思われる女性の体型」の写真を、そして男性には「自分が好む女性の体型」の写真を選んでもらったところ、男性が選んだ写真は標準的な体型でしたが、女性が選んだ写真はかなりスリムな体型でした。つまり、女性は「痩せないと男性にモテない」と思っていますが、男性は痩せた女性のことをそれほど好きではないということです。

しかも、女子大生にアンケートをとったところ、「自分は太っている」と答えた人のＢＭＩ（肥満度の指数）は平均21・2と標準より痩せ型でした。愛娘《まなむすめ》が体重を気にしているときは、この数字を見せて安心させてあげてください。

76

親の寝室や書斎に「おもちゃ」を置く子は、かまってほしい

寝室や書斎の机におもちゃを置かれると、愛する我が子のものとわかっていても、じゃまに感じることがあります。しかし怒らないでください。おもちゃは彼ら（彼女ら）からの手紙なのです。

日本の住宅事情もずいぶんと改善され、自分専用の部屋を持つ子が増えました。にもかかわらず、親の寝室や書斎にいつの間にか入り込み、ベッドや机の上におもちゃを置いていく子がいます。これは、単なる置き忘れではなく、あなたに対するある種のサインです。

一口になわばりといっても、2種類あります。ひとつは、自分の身体を中心にしたなわばり。そしてもうひとつは、場所のなわばりです。場所のなわばりは、さらに次

の3種類に大別できます。

①基本的なわばり

自分専用の部屋や机など、半永久的に自分の支配下にある空間のことを指します。外では気の小さい人が家に帰ってくると横暴に振る舞う、いわゆる内弁慶は、基本的なわばりでしか安心できない人です。

②公的なわばり

電車やバスで席を占有する場合がこれに当たります。一時的にしか支配できない空間のことを指します。

③派生的なわばり

会社や学校など、長期間にわたって自分の支配下にある空間のことを指します。外回りから会社に戻ると、ほっと一息つくことができるのは、このためです。

外回りから帰ってきて、あなたの椅子《いす》に誰かが座っているのを見ると、とても不愉快に感じますよね。これは、「派生的なわばり」を侵されたと感じるからです。しかし、前出の子どものように、わざと私物を置いたりすることがあります。その場合は、「もっと僕（私）に興味を持ってもらいたい」というサインです。子どもがあなたに忘れられている、無視されていると感じているため、私物（おもちゃ）を置いて、「僕（私）はここにいる」と伝えようとしているのです。

思い返してみてください。最近、仕事が忙しくて子どものことをかまっていないのではありませんか。あなたの部屋におもちゃが置いてあったら、今度の休日は思い切り遊んであげてください。

77

イタズラがひどくなるのは、「ダメ」と言うから

そろそろ勉強をしようかなと思った矢先に、「早く勉強しなさい！」と怒られると、逆にやろうとしていた気持ちが薄れた経験があるはずです。

人間には、言われれば言われるほど反発したくなるという、天《あま》の邪鬼《じゃく》なところがあります。これは、第三者に自由を侵害されたり行動を制約されると、自由を回復しようとする心理で、「**心理的リアクタンス**」といいます。

たとえば、未成年の子どもに「タバコを吸ってはいけない」とキツく言えば言うほど、喫煙者が増えるという皮肉な傾向があります。彼らにとってタバコはそれほど美味《おい》しいものではないでしょうし、少ないお小遣いで買うのは大変なはずです。それで

も体育館の裏などでこっそり吸って楽しんでいるのも、この心理的リアクタンスによるものです。

「我が子のイタズラがひどくなる一方で困っている」という悩みを抱えている親は多いようですが、その原因も、もしかするとあなたの怒りすぎにあるのかもしれません。

「そんなことしたらダメでしょう！」と**厳しく怒れば怒るほど心理的リアクタンスが働き、それほど面白いことでもないのに繰り返す**というわけです。

しかも、このようにして子どもの行動を阻害しつづけると、当然ストレスがたまります。子どもの脳は未熟なため、ストレス耐性が大人ほど強くありません。その結果、ちょっとしたことで平常心を失い、イライラ、カッとする子どもに育ってしまいます。

大切なものを壊したり、他人に迷惑をかけるイタズラは容認できませんが、些細《ささい》なイタズラなら笑ってすませるか呆《あき》れた顔で無視したほうが、エスカレートするのを防ぐことができます。

容認できないイタズラをした場合も頭ごなしに怒るのではなく、なぜイタズラをしてはいけないのか、子どもが納得するような具体的な理由を教えるべきです。

たとえば、イタズラによってお父さんの大切なトロフィーが壊れてしまったとしましょう。そんなときは「このトロフィーは、お父さんが大学時代にテニスの試合で1度だけ優勝したときにもらったものなのよ。とても大切にしていたものだから、お父さんきっと悲しむわ」などと話すと、反省や態度の改善が見られます。

78

足を揃《そろ》えて座る子は、「人見知り」が激しい

「三つ子の魂百まで」というとおり、性格は年をとっても変わりません。つまり、好かれる人物になれるかどうかは、親の教育や指導にかかっているということ。責任は重大です。

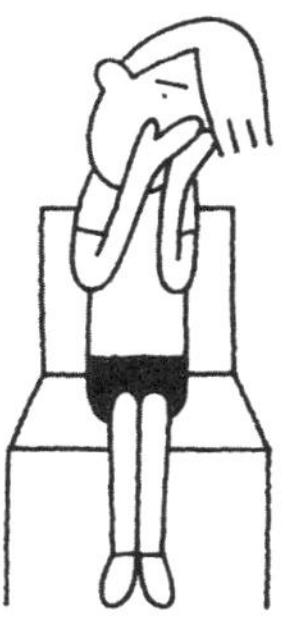

子どもがソファに座ってテレビを観ていたり、読書をしているのを見かけたら、座り方をチェックしておきましょう。たったこれだけのことでも、今後どのような点に注意して育てればいいかが見えてきます。

①足をきちんと揃えて座っている

人見知りが激しいタイプで、初対面の人と打ち解けるまでにかなり時間がかかります。このままだと入学・進学時に孤立する恐れがあります。地域のイベントやクラブ

活動への参加をすすめ、できるだけたくさんの人と接する機会を与えてあげましょう。

②足を組んで座っている

誰とでも心を開いて話すことができ、困っている人を見過ごすことができないタイプのため、友だち付き合いの面では安心です。おそらく、友だちからも慕われているはずです。ただし、平凡なことが大嫌いで理想を追い求めるところがあるので、なぜ勉強や進学が必要なのかをしっかり伝えておかないと、受験勉強を放り出す可能性があります。

③足首を交差させ、両足をくっつけて座っている

いつまでも幼児性を引きずるタイプです。自分の思いどおりにならないとすぐにカンシャクを起こし、同級生ともなかなか打ち解けられません。「何でも自分の思いどおりになると思うのは間違い」ということを、幼い頃から教えておいたほうがいいでしょう。

④膝《ひざ》と腿《もも》はくっつけ、足先を大きく開いて座る

人の好き嫌いが激しく、気の合った友だちとしか付き合わないタイプです。第一印象だけで人を判断する傾向があるため、「もう少しじっくり付き合ってみなさい」とアドバイスしてあげましょう。同年齢の子と共同作業でする趣味を持たせると、好き嫌いが緩和されます。

⑤斜めに足を傾けて座る

プライドが高い子のようです。気さくで友だちも多いのですが、大切に扱ってもらえないと機嫌が悪くなります。上から目線のところが見えたら注意してあげましょう。

79

団体行動で「行儀が悪くなる」のは、のけ者にされたくないから

人は自分がどこの誰か特定されないと、強い攻撃性を発揮することが心理学の実験でわかっています。遠足のとき大騒ぎし、周囲に迷惑をかける子どもが多いのもこのためです。

ふだんはとてもおとなしい子が、友だちと一緒に電車やバスに乗ると、大声を出したり周囲の迷惑になることをする場合があります。これは、「**同調力**」と「**責任の希薄化**」という心理によるものです。

同調力とは、ある集団のなかにいると、「みんなの意見に納得しやすくなる」「みんなに認めてもらいたいという気持ちになる」「尊敬している人の考えに同調しやすくなる」という3つの心理が働くことです。

たとえば、ふだんは電車のなかでは静かにしている子でも、友だちがまわりで騒ぎはじめると、「このまま自分だけおとなしくしていると、のけ者になる。僕もみんなに認めてもらいたいから騒ごう」「みんな騒いでいるから、僕も騒いでもいいんだ」と考えます。しかも周囲からは「なぜ僕たちと同じ行動をとらないの？」という無言の圧力もかかりますから、しかたなく騒ぎはじめてしまうのです。

さらに、乗客に「こらっ、静かにしなさい！」「学校に言いつけるわよ！」と怒られても、自分だけが怒られたわけではないという気持ち（責任の希薄化）と、自分の名前はわからないはずという匿名性が働き、あまり気になりません。修学旅行中に他校の生徒とトラブルを起こす中高生もいますが、この原因も同じところにあります。

友だちをつくる、団体行動をとるというのは、コミュニケーション能力を高めるうえで大切なことです。しかし団体行動中には、このような問題が生じる可能性もあることを知っておくべきでしょう。

団体行動中にこのようなトラブルを起こさないためには、みんなから尊敬されている上級生と行動を共にさせることです。これは同調力のなかの「尊敬している人の考えに同調しやすくなる」という心理を利用するものです。

尊敬している上級生と一緒に行動していれば、子どもたちはその人の行動や考えを真似するようになります。ただし、その上級生の素行が悪いと大変なことになるので、気をつけてください。

80

生あくびを頻繁にする子は「テクノストレス」の可能性が高い

子どもがゲーム機に夢中になっていたら、一緒に散歩や運動を楽しみましょう。肉体にほどよい疲労を与えれば、脳がストレスから解放されます。

食事中や家族団らんのときにも、ゲーム機を手放さない子どもが増えています。ゲーム機が子どもの心や脳に与える影響についてはさまざまな見解があり、まだ結論は出ていません。しかし、「**テクノストレス**」には注意したほうがよさそうです。

テクノストレスは、アメリカの心理学者ブロードが発見しました。彼は1980年代に入り、シリコンバレーで働くコンピュータ技術者のなかで心身に異常を訴える人

が急増したことに気づきました。そして、その原因がコンピュータなどのハイテク製品の利用に関係があることを突き止め、テクノストレスと名づけたのです。

テクノストレスは、長時間パソコンなどのハイテク機器を操作しつづけるうちに、「イエス」と「ノー」、「1」と「0」という二進法的発想の影響を強く受け、それに不自然なかたちで適応してしまうため発症すると考えられています。

このテクノストレスが悪化すると、人との交流を煩わしく感じるようになったり、鬱病《うつびょう》やめまい、自律神経失調症などの症状が見られるようになります。

テクノストレスを発症しやすいのは、女性よりも男性、そして年齢も低い人といわれています。つまり、幼い頃からテレビゲーム漬けになっている男の子は、テクノストレスになる可能性が高いというわけです。

子どものことを大切に考えるなら、ゲーム機で遊ばせるのはほどほどにしたほうがいいでしょう。とくに、子どもに次のような症状が見られたら、すでにテクノストレスの第1段階です。

- **眠くなさそうなのに生あくびを頻繁にする**
- **目がショボショボして焦点が定まらない様子**

・まぶたがピクピクけいれんしている
・根気がなくなる
・疲れている様子なのに深夜まで眠らない
・ど忘れが増える
・肩が痛いと言う
・昼間から強い眠気を感じる
・周囲の音がうるさく聞こえると言う

ここにあげた症状のうち3個以上当てはまったら、すでに子どもの頭はかなり疲れています。テクノストレスから脱却するには、「身体的疲労を与える」「精神をリラックスさせる」という2つの方法が効果的です。

81

"空想の友だち"を持っている子は感受性が強い

空想の世界での遊びは、本来は小学校低学年までに卒業すべきですが、最近はインターネットやコンピュータゲームのやりすぎで、青少年でも空想と現実の境界線がわからなくなるケースが増えているそうです。

子どものなかには、想像上の友だちをつくり、その友だちと遊んだり会話を楽しむ子がいます。不気味がったり、子どもに霊が見えるのではないかと不安になる親もいるようですが、これは子どもにはよく見られる現象です。空想の友だちには名前や人格があり、現実の世界の友だちや親にも紹介します。友だちといっても同い年とはかぎりませんし、ときには人間ではない場合（動物や妖精、怪獣など）もあり、親に対し、空想の友だち用の食事や寝床などを要求することもあります。

空想の友だちと遊ぶ期間は、数カ月から1年以上です。ただし、感受性が強く芸術家タイプの子どもでは、小学校低学年になっても空想の友だちを持ちつづける子もいます。しかしほとんどの場合、小学校4年以上になると、空想の世界と現実の世界の区別がはっきりつくようになり、自然と空想の友だち遊びは終わります。ですから、あまり心配する必要はありません。

なかには「気持ち悪いからやめなさい！」「嘘はいけません！」と厳しく叱る親もいるようですが、子どもには嘘をついている意識がありませんし、感受性が強い子が多いので、ひどく傷つきます。さらに、**「やめなさい」と言えば言うほど空想の友だちとの結びつきを強くする**のです（226ページの「心理的リアクタンス」を参照）。そして、本人も空想の友だちがいるから現実の友だちと付き合う必要はないと思うようになり、コミュニケーション能力が欠如することがあります。

空想の友だちとの遊びをやめさせたい場合は「○○ちゃんはお昼寝したいんですって。だからこちらへいらっしゃい」と空想の友だちを肯定したうえで、現実に引き戻すようにしてあげましょう。すると、比較的素直に現実の世界に戻ってくれます。

82 不満や愚痴が多い子は、他人への「要求や期待」が大きすぎる

不満や愚痴が多い人は、相手に変わってほしいと願っています。都合のよい考え方を正当化するため「自分は悲劇の主人公」と思い込み、親に対して、自分がどんなに悲惨な状況におかれているかを愚痴るのです。

「一生懸命練習してるのに、ぜんぜんコーチが認めてくれないんだ」

「○○先生は、△△ちゃんのことをひいきにしてる。ずるいよ！」

それは聞き捨てならないと、コーチや他の親御さんに様子を聞いてみたところ、実際にはそうではなかったということがあります。

こんなふうに、愚痴や不満を言いたがる子は、両親を含め他人への要求や期待が大きすぎる傾向があります。

たとえば、「自分は一生懸命練習しているのだから、コーチはもっと認めてくれていいはずだ」と強く要求します。しかし、コーチはリモコンで動くロボットではありませんから、自分の思いどおりには動いてくれません。それを思いどおりに動かそうとするから不満が生まれるのです。

この不満はストレスになって子どもの心にのしかかります。本人はそのストレスの原因が自分にあるとは考えず、「……してくれないから、ストレスを感じるんだ」と愚痴るのです。こんなタイプの子には、次の4つの対処法を試してみてください。

①話を聞き流す

子どもは自分を悲劇の主人公と思い込んでいるだけなので、真剣に話を聞いていると、あなたが判断ミスを犯すことになります。しかも、子どもはあなたに助けてもらいたいわけではなく、ただ話を聞いてもらいたいだけ。だから、適当にあいづちを打って聞き流しましょう。

②励ます

親身になって励ます必要はありません。「もう少し頑張ってみたら」「大変だね」と、簡単に励ましの言葉をかければ、それだけで満足します。

③問いかける

顔を合わせるたびに同じ愚痴ばかり聞かされて閉口しているという場合は、思い切って「そのことをコーチに言ったの？」「今の学校が気に入らないなら、転校してみるか」と、具体的な対策をとっているか、とるつもりがあるのかを聞いてみましょう。びっくりして、二度とあなたに愚痴をこぼさなくなります。

④はねつける

「あなた自身でなんとかしなければ、その問題は解決しないと思う」と言えば、怒るかもしれませんが、愚痴るのをやめるはずです。

83

モノに八つ当たりするのは「防衛機制」が働くから

悪いことをした覚えがないのに、親から怒られたという経験はありませんか。おそらく、親は何かすごく嫌なことがあったのでしょう。そのままでは耐えられないため、あなたに八つ当たりしたのです。

気に入らないことがあると、おもちゃや雑誌を投げる子がいます。いわゆる「八つ当たり」というやつです。粗暴な子になってしまうのではないかと、親は不安かもしれませんが、これは「**防衛機制**」といって、自分自身の心を守ろうとして起きる行動です。

防衛機制にはいろいろなものがありますが、八つ当たりはそのなかの「**置き換え**」といわれるものです。たとえば、友だちや親に対する不満があっても、それを本人に

はぶつけることができないため、おもちゃや雑誌に不満をぶつけているのです。

防衛機制は誰にでもある心理ですから、それほど深刻に考える必要はありませんが、投げるのを黙認していると行動がエスカレートしていき、窓ガラスを割ったりしますから、やはり注意やしつけは必要です。ただし、自分の心を守ろうとしてやったことですから、頭ごなしに否定するのは考えものです。モノを投げるのはいけないことだと諭した後、どのような不満があるのかを聞いてあげましょう。

それでもモノに対する八つ当たりが止まらないようなら、読み終わった新聞紙やチラシを与えて、「これを思い切り破ってみなさい」と言ってみてください。新聞紙を破ってみると、想像以上に大きな音がします。この大きな音が心のなかの不満や怒りを発散させてくれます。新聞やチラシなら、人に迷惑をかけることもありませんし、モノを壊す心配もありません。

気持ちをスッキリさせる方法はほかにもあります。たとえば、粘土を叩《たた》いたり潰《つぶ》したり、ねじったりちぎったりして気がすむまでこねるのもいいですね。また、安心して庖丁《ほうちょう》を使わせられる子なら、タマネギを思い切り細かく刻んでもらいましょう。涙とともに不満も発散できるはずです。

84

責任をなすりつける子は、「自分を守ろう」という気持ちが強すぎる

人は誰でも「自分は傷つきたくない」と思っています。たとえば、交通事故を起こしたドライバーの90パーセント以上が、「逃げたい衝動に駆られた」といいます。これも傷つきたくないためです。

私たちは、ミスをすると言い訳をしたり、誰かに責任転嫁する傾向があります。たとえば、遊んでいて怪我をすると、「○○クンがいけないんだ」「お父さんがあのとき押したからこうなったんだ」のように、他人のせいにしたくなるものです。ときにはイタズラをしても謝らず、「みんなやっている」「こんな決まりを作った人が悪いんだよ」と文句を言う子もいます。

これもすでに紹介した防衛機制のひとつです。防衛機制は誰の心のなかにもある働

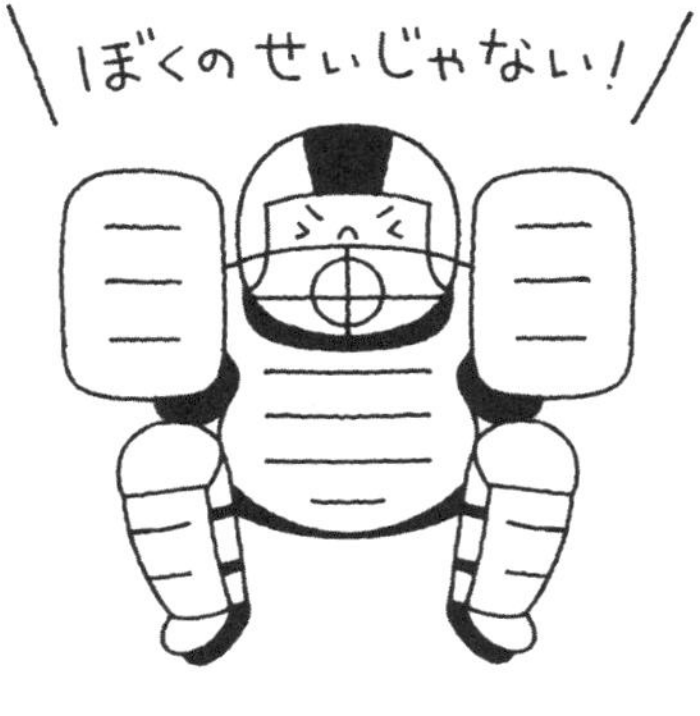

きですが、あまり責任転嫁する子は、自分を守りたい、自分だけがよければいいという気持ちが強く、たとえ子どもでも人間関係がうまくいかなくなる恐れがあります。

では、そんなときにはどうすればいいのでしょうか。「ごめんね」「そうだね、お前の言うとおりだよ」と**意見を認めてしまうと、子どもは調子に乗る一方**ですから、必ず第三者の前で事実を明らかにしましょう。

責任をなすりつけられれば、親でもカッとしますね。しかし、だからといって、面と向かって「お前が勝手にブランコから飛び降りたんじゃないか」とか「他人に責任をなすりつけるのはいけないぞ！」と反論すれば、子どもも引き下がれなくなります。そこで冷静になるため、家族の前で責任の所在がどこにあるのかを話し合うのです。

子どもはおそらく自分の意見を正当化しようとして、強い口調で、あるいは泣きながら「お父さんがいけないんだ！」と主張するでしょう。これに屈してしまうと、「泣けばなんとかなる」という印象を与えてしまいますから、妥協は禁物です。

もうひとつのポイントは「嘘を言うな！」と頭ごなしに非難するのではなく、「本当の責任は誰にあるのかな」と問いかけることです。子どもが話を逸らそうとしたら、この質問を繰り返します。

人は後ろめたさを感じているときには言葉を濁したり、語尾が曖昧《あいまい》になります。そうなったら、「本当のことを言ってごらん」と優しく諭しましょう。

85

悲観的なことばかり言う子は、「難しいこと」に挑戦しなくなる

もし我が子に悲観的思考が強い傾向が感じられたら、いきなり高望みはしないこと。思い切りハードルを下げて、成功体験を積み重ねさせましょう。

同じ問題やトラブルが起きても、子どもによって受け取り方はさまざまです。たとえば、お小遣いが入ったお財布を落としたとしたら、あなたの子どもは次のどちらの態度をとるでしょうか。

①お財布には名前や連絡先が刺繍《ししゅう》してあるから、きっとそのうち連絡が来るはずだ。もし出てこなかったとしても、小銭しか入っていなかったからよかった。

②あぁ、もったいない。落とすくらいなら、あのときお菓子を買っておけばよかった。

それに、あのお財布は買ってもらったばかりだから、お母さんに落としたって言うと、きっとすごく怒られる。どうせ、警察に届けたって出てくるわけないし……。

ちょっと気になるのは、②のように考える子です。これは悲観的思考といって、失敗回避欲求（失敗したくないという気持ち）が強すぎることを表しています。

人間の欲求には、「**達成欲求**」と「**失敗回避欲求**」の2種類があります。そして、そのどちらが強いかで目標に対する態度が違ってくるのです。何かをやりはじめるか、やらないかを決めるのは、達成欲求と失敗回避欲求とを秤《はかり》にかけた結果です。失敗回避欲求の強い子は、「失敗すると嫌だから、やっぱりやらない」という答えを出しがち。しかし、一方で目的を達成したいという気持ちも当然あります。この気持ちのギャップが「あのときお菓子を買っておけば」というセリフになって表れるのです。

失敗回避欲求が強い子を、ある目標に到達させたいと思ったら、まずは小さな目標達成に向かってスタートを切らせるようにしましょう。**このタイプの子は、安全で確実な道を選ぶことが多いため、小さな目標なら失敗しません。**そして、それを自信にして次のステップに進ませるのです。たとえば、偏差値70台を達成してもらいたいと思っても、「偏差値55を目指してみようよ」と勉強をスタートさせましょう。

86

ジュースを「いっぱい注ぐ」子は責任感が強い

子どもは何でも自分でやりたがります。とくに甘くて美味しいジュースを注ぐのは、かなり早い段階で「自分でやる！」と言い出すはずです。

自分で何でもやりたがるのはいいのですが、子どもはグラスを倒したり、ジュースがうまく注げずにこぼしたりするもの。お母さんはハラハラしますね。それでも、ジュースの注ぎ方を見れば、その子の性格がわかります。

①グラスのギリギリまで注ぐ子

統率力があり責任感も強く、リーダーの素質があります。きっと友だちもたくさんいて、みんなから慕われているはずです。しかし、ちょっと欲張りなところがあるようで、それで評判を落とすかもしれません。みんなで分かち合うことの大切さを教えてあげましょう。

②グラスの半分くらいまで注ぐ子

大好物のジュースを半分しか注がないのは、グラスを倒すかもしれないと思っているため。つまり、ちょっと落ち着きのないところがあるようです。明るい性格で、みんなの人気者ですが、授業中の集中力が足りないことで先生に怒られる可能性もあります。読書などをすすめて集中力を養ってみてはどうでしょうか。

③泡の出具合を見ながら注ぐ子（炭酸飲料の場合）

慎重で緻密《ちみつ》な考えの持ち主で、何をやらせても人並み以上にこなしてしまう秀才肌です。ただし、周囲のことが見えないところがあり、友だち付き合いはあまり得意ではないようです。人と接することの大切さを教えてあげるといいでしょう。

④グラスの7〜8分目ほどまで注ぐ子

落ち着いている子ですが、それを裏返せば、おとなしすぎます。外で遊ぶのがあまり好きなタイプではないので、運動不足になりがちです。休日はお父さんがアウトドアへ連れて行ってあげましょう。

87

手元にあるものを「いじる」子は、ストレスにさらされている

「ウチの子は落ち着きのない性格で困っている」と言う親御さんがいます。しかし、本当にそれは性格でしょうか？　もしかしたら「ストレスにさらされているから助けて」というSOSかも。

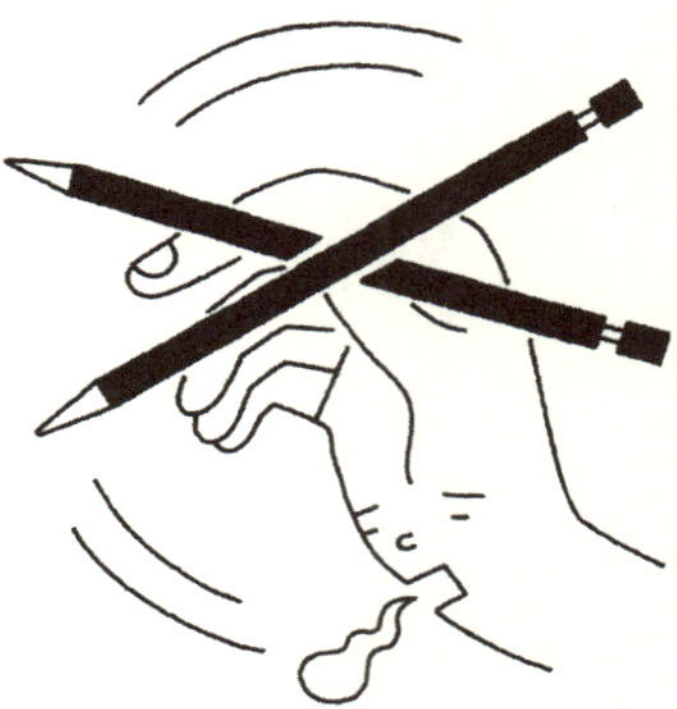

大人の場合はストレスがたまると、お酒を飲んだり、お風呂にゆっくりつかり、ぐっすり眠って解消しようとします。しかし、子どもは自分がストレスにさらされていることに気づかず、知らない間に状態が悪化してしまうことにもなりかねません。そのため、お父さん、お母さんが日ごろから注意する必要があります。子どもがストレスを感じているときに示す行動は、次のとおりです。

①手元にあるものをいじる

相当にストレスがたまっているようです。手や指を動かすと身体の緊張がほぐれ、ストレスを発散できます。これを無意識のうちにやっているのです。大人でもイライラしたときはボールペンなどをもてあそびますね。これと同じことです。

②指をしゃぶったり爪《つめ》を噛む

指をしゃぶるのは母親の乳房を懐かしがる心理です。つまり、乳離れして年月がたっているにもかかわらず指をしゃぶるのは、不安で母親と一緒にいたいと望んでいる証拠です。情緒が不安定になっていることが考えられますから、優しく相談にのってあげましょう。

③頻繁に咳《せき》払《ばら》いをしたり肩をすくめる

慢性的なストレスにさらされているようです。幼い頃から受験勉強をさせたり、学校でいじめにあっているようなことはありませんか。

④どもる

ストレスによって口や舌が緊張して発生します。ただし、3〜4歳児のどもりは身体が十分に発育していないために起きることもあります。

このようなしぐさが見られたら、絶対に「やめなさい！」と怒らないこと。怒られたストレスと「やめなきゃいけない」というプレッシャーがともに強くなって、チック障害（まばたきや舌つづみ、うなずき、肩をすくめる、などを繰り返す）を発症する場合があります。しぐさのことは持ち出さず、リラックスさせて原因を聞き出しましょう。

ただし、親の期待が強すぎるなど、子どもに説明できない原因も多いので、まずは我が身を振り返ってみることです。

88

商品に触れまくる子は、必死に「SOS」を出している

幼い頃、お父さんやお母さんに十分に甘えることができないと、平気で嘘をついたり、他人のものを盗むようになることがあります。これを「アフェクションレス・キャラクター（情愛のない性格）」といいます。

デパートなどへ行くと、ときどき商品に触れまくっている子どもを見かけませんか。お母さんは周囲の目を気にして、「やめなさい！」と怒ることが多いようですが、そうすると子どもはますます商品に触れるようになります。

このとき、子どもが何に触れているかを観察してみると、柔らかいものやフワフワしているものを選んでいることがわかります。逆に、固いものや冷たいもの、尖《とが》ったものには触れようとしません。これは「お母さんに甘えたい」という気持ちの表れで

す。お母さんと親密になれないため、お母さんのように柔らかくてフワフワしているものに触れているのです。

お母さんが怒れば怒るほど心理的距離は離れていきますから、商品に触れるという行為はエスカレートしていきます。つまり、商品に触れさせたくなかったら、怒るのではなく優しく抱きしめてあげたほうがいいのです。人前で抱きしめるのが恥ずかしいなら、手を優しく握ってあげてもいいでしょう。

このように、父親や母親に十分に甘えることができないと、子どもは情緒不安定になり、性格が歪《ゆが》んでしまうことがあります。

アメリカのハロー博士は、それを実験で証明しました。博士は、生まれて間もない2匹の小猿をAとBという別々の檻《おり》に入れ、Aの檻には針金で作った母猿の模型を入れ、Bの檻には本物の猿に似た感触の柔らかい布で作った母猿の模型を入れました。

すると、Aの檻で育った小猿は母猿の模型にまったく近づこうとせず、成長後は協調性が不足して激しい攻撃行動をとるようになったのです。

それに対し、Bの檻で育った小猿は母猿の模型に強い愛着を示し、驚いたり怖いことがあると、模型にしっかりとしがみつきました。しかし、Bの檻で育った猿も情緒が不安定で、やはり仲間とうまく生活できませんでした。

つまり、商品に触れまくる子は必死にＳＯＳを出しているわけです。手遅れにならないうちに、それを理解してあげましょう。

89

自転車で急ブレーキや急ハンドルが多い子は、「注意力散漫」

自動車のハンドルを握ったとたん、荒っぽい運転をする人がいます。「運転すると性格が変わる」といいますが、それは違います。自動車という鎧《よろい》に守られていると、本性が表れるのです。

大人は自動車という鎧をつけることによって、自分が強くなったような気分になりますが、子どもの場合は自転車の乗り方に性格が表れます。休みの日には一緒にサイクリングや買い物に行き、乗り方をチェックしてみてください。

①急ブレーキや急ハンドルが多い　注意力が散漫なところがあるようです。急ブレーキや急ハンドルを使うのは、直前まで障害物や歩行者に気づかないということ。このままだと事故にあう可能性が高いので、基本的な交通ルールをしっかり学ばせましょ

う。大雑把なところも見うけられ、些細なことでも丁寧にやるよう指導してください。

②歩行者がいてもベルを鳴らさず、安全なところでしか追い抜かさない　自転車のマナーとしては当然のことですが、子どもでここまでできているのは、思いやりがあり、協調性があるということ。その態度をほめてあげましょう。ただし、自己顕示欲が控えめで争いを好まない性格なので、厳しい受験戦争を生き抜くのは苦手なようです。ライバルを蹴落《けお》とすのではなく、自分の成績を上げるように指導してあげましょう。

③蛇行して歩行者や自動車を追い抜いていく　負けず嫌いでわがままな性格が強いようです。負けず嫌いは悪いことではありませんが、周囲の人のことをもう少し考えるように諭してあげましょう。また、歩行者や自動車が予想外の動きをする可能性をまったく考えていないことから、計画性のなさも見うけられます。

④1人でどんどん先に行ってしまう　冒険心が旺盛《おうせい》で、怖いもの知らずのところがあります。そのうえ、この子にもわがままなところと計画性の欠如が見られます。また、協調性も欠けているため、人は1人では生きていけず、助け合わなければいけないということを教えてあげましょう。

90

噂話《うわさばなし》をする子は自尊感情が低く、「社会的承認欲求」が強い

人は自分で実際に見聞きしたことよりも、他人から聞いたことや噂話として聞いたことに対して強い印象を持ちます。しかし、あまり噂話に振り回されていると、信頼を失います。

子どもにも噂好きはいます。噂をする子には2つの心理があります。ひとつは、自尊感情が弱いことによる嫉妬《しっと》です。自尊感情が低い人は、**今以上自尊心を失いたくない**という気持ちが働いて、明らかに自分よりも実力が上の人を、噂という武器によって蹴落とそうとします。

たとえば、自分より男子に人気があるクラスメイトがいたとしましょう。それは自然なことなのに、噂好きの子は妬ましいと考えます。その結果、「○○さんって、本

当はすごく意地悪なんだよ」「あの子、変な人と付き合ってるらしいわよ」といった悪意のある噂を流します。

噂をする理由として、もうひとつ考えられるのが、**社会的承認欲求を満たすため**です。誰も知らない話をみんなに教えてあげれば、「へーっ、そうなんだ」「△△さんって、すごい物知りなのね」と注目されたり、尊敬されます。

しかし、子どもが誰も知らない話を知るチャンスは滅多にありません。そこで、「ガムを飲み込むと7年間出てこないんだって」「しゃっくりを100回すると死んじゃうんだよ」などの作り話をでっち上げてしまうのです。

子どもたちの間で好ましくない噂が広がっているとわかったら、我が子に「そういう話には耳を貸さないでね。もし聞いてしまっても、他の人に広めないようにしてね」と言いましょう。「なんで?」と聞かれたら、「噂話をしていると、みんなから信頼されなくなってしまうからよ」と教えてあげましょう。

ちなみに、「○○さんから聞いた話なんだけど」という前置きとともに聞かされる噂話は信憑性《しんぴょうせい》を感じさせ、ふだん噂話に関心を示さない人でもだまされてしまうことがあります。このことも教えておくといいでしょう。

91

「だから」とよく言う子は、感情をコントロールできない

どこで覚えてきたのかわかりませんが、子どもに変な口癖がつくことがあります。そんなときは「やめなさい！」と頭ごなしに怒らず、その口癖が何を表しているのかを分析してみましょう。

132ページでも口癖について触れましたが、ここでは子どもがよく使う口癖から心理分析をしてみましょう。

①「絶対○○する！」とよく言う

絶対とは「どんなことがあっても必ず」という意味ですが、この言葉を使う子ほど実現しないことが多いようです。絶対という言葉を頻繁に使うのは、意志が弱いのを自分でわかっている証拠です。つまり、できそうにないから「絶対」と言っているのです。

もともと自分に自信がないタイプなので、「絶対って言ったじゃない！」と責めると、ますます自信を失ってしまいます。大切なのは、まずはスタートを切らせること。「そんなこと言わなくていいから、少しずつやってみよう」と優しく話してあげましょう。

②「だから」とよく言う

言い訳のときに使う言葉です。間違っていることを指摘しても、この言葉を使って認めようとしないのは、自分の感情をうまくコントロールできない子です。腹を立てて厳しく責めつづけると、いきなりキレることがあるので、注意してください。精神的に未熟なところがあるので、気長に落ち着いて説得する必要があります。

③「別に」とよく言う

自分が弱い立場だと認識している証拠です。自分では正当だと思っている主張や弁解をしても、どうせ聞き入れてもらえないと思い込んでいるため、「別に」という言葉ですべてを片付けてしまいます。

不平や不満を抱えているのは確かですから聞き出すべきなのですが、なかなかうまくいきません。大切なのは「聴く耳を持っている」という気持ちを伝えることです。

④「え〜っと」とよく言う

人との摩擦を避けようとするため、この言葉を発しながら言葉を選んでいます。なかなか本音を話してくれない子のようなので、「何を言ってもいいんだよ」と伝えてあげましょう。問題が生じると避けようとするところも見られ、ときには正面突破も必要だということを教えましょう。

92 シートの真ん中に座る子は、「自己中心的」

レストランやカフェなどで、自分の席の隣に荷物を置いている人を見かけます。これは「誰にも座ってほしくない」という意思表示。人間はなわばりを持っており、それを侵害されると不快なのです。

始発駅で電車の座席がどのような順番で埋まっていくかを観察してみると、最も人気なのはシートの両端だということがわかります。そして、次に乗った人は両端の人と微妙なスペースを開けて座ることが多いようです。効率的には端から順番に詰めて座ったほうがいいのですが、そんなふうに座る人は見たことがありません。それどころか、なかには自分の席の隣に荷物を置いて誰も座らせないようにする人もいます。

これは、**パーソナルスペース**を守ろうとする心理です。37ページでも紹介したとおり、パーソナルスペースは「なわばり」です。野生動物と同じように、人も自分のなわばりを侵害されると不快になります。そのような思いをしないために、シートの両端を選んだり、微妙なスペースを開けて座ろうとするのです。

しかし子どもの場合は、席の選び方がまったく異なります。子どもたちにいちばん人気なのはシートのど真ん中。そしてシートの両端はあまり人気がありません。これは、子どもが閉所に対する恐怖を持っているからといわれています。

人は成長とともに閉所恐怖を克服しますが、今度は広い場所に恐怖を覚えるようになります。そのため、大人は空いている電車に乗り込んでも、シートの真ん中にでんと腰かけることがあまりありません。

ところで、子どもがシートのどこに座るかによっても、性格を判断できます。

①シートの真ん中に座る子

精神的にまだ幼いところがあるようです。また、自己中心的なところも見られるため、もう少し周囲の人のことを考えるように教えてあげましょう。

②シートの左側に座る子

身近なところで問題が起きても、自分で進んで介入しようとはしないところがあります。慎重な性格ですが、もう少し積極的になってもいいのでは？

③シートの右側に座る子

一度自分でこうだと決めたら、それを守り通そうとする子です。頑固なところがあるので、もう少し柔軟に考えるよう諭しましょう。

93

「アゴ」を引いて睨《にら》みつける子は心を閉ざしている

アゴを突き出しながらしゃべる人がいます。これは、「攻撃できるものならしてみろ!」という挑発のポーズ。傍《はた》から見ても、あまりよい印象ではありません。

怒ったときに子どもが見せるしぐさはさまざまです。泣く子、逆ギレする子、そして睨みつける子。ここでは、睨みつける子の心理を探ってみましょう。睨みつけ方は、おおむね次の2種類に大別できます。

①アゴを突き出して睨みつける子

自分のやったことや言ったことに自信があったのでしょう。「怒られるのは心外だ!」と思っているようです。何が悪いのか、なぜ怒られたのかをしっかり説明して

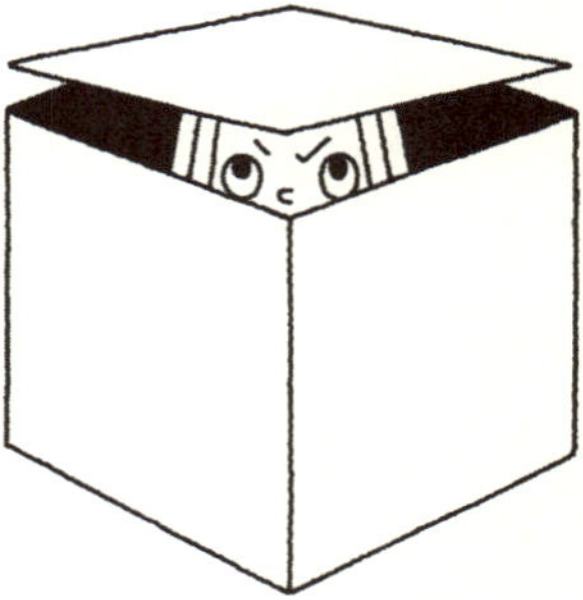

納得させましょう。

アゴは人間のウィークポイントのひとつです。そのアゴを突き出すということは、こちらが攻撃してこないと確信しているから。どうやら、生意気そうに見えて、実は甘えん坊なところもあるようです。

このとき子どもに体罰を与えてしまうと、「お父さん（お母さん）は絶対に攻撃しない」という期待を裏切られるため、親に不信感が生まれてしまいますから気をつけてください。

ただし、友だち同士で言い争いをしているときに我が子がアゴを上げていたら、相手を見くびっているか自分のほうが偉いと思っている証拠です。そんな態度をとっていると友だちに敬遠されてしまうので、注意してあげましょう。

②アゴを引いて睨みつける子

アゴを引くのはボクシングの防御姿勢の基本です。このことからもわかるとおり、相手（あなた）に心を閉ざしていて、かなりの敵対心を持っています。残念ながら、子どもとの関係があまりうまくいっていないようです。

さらに首を傾けたら、あなたの言っていることにまったく納得していないというサイン。こんな態度をとられたらカッとするかもしれませんが、絶対に体罰を与えないこと。そんなことをすれば、ますます子どもの心は離れてしまいます。

友だち同士でいるときにこのしぐさをする子は、相手のことを羨《うらや》ましいと思っているようです。その程度なら問題ありませんが、高じると嫉妬になり攻撃性を見せることがあるので、「友だちとあなたは違うのよ」「友だちだってあなたのことを羨ましいと思っているのよ」と諭してあげましょう。

94

大声で笑う子は「寂しがり屋で甘えん坊」

笑いは心身によい影響を与えます。笑うきっかけは何でもかまいません。面白い映画やテレビ番組などを録画して、子どもに見せてあげましょう。親子ともに心が落ち着くはずです。

受験勉強のプレッシャーでしょうか、笑っている子どもをあまり見かけなくなったような気がします。笑いには、免疫力をつくる効果があることが知られています。がんや心臓病などの患者さんに漫才や落語を見せて、抵抗力を高めようとしている病院もあるくらいです。

免疫力が大人よりも弱い子どもには、できればもっとたくさん笑ってもらいたいものです。子どもをうまく笑わせることができたら、どんなふうに笑うかもチェックしておきましょう。

①大声で笑う子

自分の存在を認めてもらいたいと思っているようです。最近、あまり遊んであげていないのではありませんか。寂しがり屋で甘えん坊なところがあるので、「やめてよ！」と言われるくらいベタベタしてあげましょう。また、向上心の強いところがあるので、期待が持てそうです。

②含み笑いをする子

自己中心的で、自分の考えが正しいと思い込むところがあります。凝り固まるのはまだ早すぎますから、世の中にはいろいろな考えを持った人がいるということを教えてあげましょう。また、同年齢の子を馬鹿にするようなところが見られます。

③高い声で笑う子

声帯が緊張すると声が高くなります。つまり、心が張りつめているということ。どうやら内気な子のようです。気が小さく、人見知りが強いところもあるので、同年齢の子どもが集まるところにどんどん連れて行き、人付き合いの楽しさを教えてあげましょう。

④口に手をあてて笑う子

本当は活動的で開けっぴろげの性格ですが、それを隠そうとしているようです。本来の自分と違う自分を装っていて、どうしてもストレスがたまりがち。一見、余裕があるように見えますが、ストレスがたまっていますから、心のなかはあまり穏やかではありません。「自宅や1人でいるときは思い切り笑っていいんだよ」と教えてあげましょう。

95
「肘《ひじ》をついて食べる」子は親に心を開いている

食事をしながら説得されると、相手の考えに同調しやすくなります。これは「ランチョンテクニック」という心理です。食事は人の心に大きな影響を与えるものと覚えておきましょう。

食事中は料理の味に気をとられて、心が無防備になりがちです。つまり、本心が出やすいといえます。子どもにテーブルマナーを教えながら、同時に心理分析もしてみましょう。

①フォークやナイフを振り回しながら食べる子

話に夢中になってフォークやナイフ、お箸《はし》などを振り回す子は、落ち着きがなく興奮しやすいタイプです。我を忘れてしまうことが多いので、よく失敗をしでかします。しかも、なぜ失敗したか自分でもよくわかっていないため、責任を回避しようとし

させましょう。

ます。このままだと無責任な大人になってしまいますから、まずは振り回すのをやめ

②肘をついて食べる子

お行儀の悪い食べ方ですが、実はリラックスしている証拠です。みんなで一緒に食べる食事に満足し、あなた（親）にも心を開いています。

精神的にあまり強いタイプではなく、厳しく叱るといじけたり、あなたに対する気持ちも変わってしまいます。そのため優しく「食事中に肘をついてはダメよ」と言ってあげましょう。

③口に食べ物を入れたましゃべる子

本来なら食べるかしゃべるかのどちらかにすべきなのに、両方いっぺんにやろうとするのは、せっかちな性格だからです。口から食べ物が飛び出すかもしれない、またお母さんに怒られるかもしれない、ということが予見できないところから、計画性がないともいえます。

ただし、積極的で明るい性格のため、友だちには好かれているようです。落ち着きと計画性を養ってあげれば、リーダーになれる素質を持っています。

④あっという間に食べる子

家や学校でストレスを感じているようです。そのため、食事（給食）を早く食べて、1人になりたいと考えています。いじめにあっていないか、そして親子関係も再チェックしてみましょう。

もし、問題が見つからない場合は、人付き合いが苦手と考えられます。食事中に子どもが興味を持ちそうな話題を出してみるといいでしょう。

96

お辞儀を繰り返す子は、「早くゲームの続きがしたい」と思っている

朝、近所の人に会っても目をそらしてやりすごしてしまう。学校から帰るときも、クラスメイトに何も言わずにさっさと帰ってしまう。こんな調子では、人間関係がうまくいかなくなるのは当然です。

お世話になっている人が訪ねて来て、「そういえば、お子さんは元気？　たまには顔を見たいわ」と言われることがあります。そんなときは、我が子がどのような挨拶《あいさつ》をするか、ドキドキしながらチェックしておきましょう。

①何度もお辞儀を繰り返す

「こんにちは」「はい、元気です」「お土産どうもありがとう」と言うたびにお辞儀をする子は、一見すると丁寧なようですが、実はその反対で、「挨拶なんか早く終わら

せて、ゲーム（遊び）の続きをしたい」と思っています。

お辞儀を繰り返すのは、面倒くさいから適当に頭を下げておけばいいという気持ちの表れです。お客様のことを軽《かろ》んじているところが見られるので、後で注意しておいたほうがいいでしょう。

②深々とお辞儀をする

子どもですから、ぎこちなく見えるでしょうが、心から「いつもお世話になっています」という気持ちを伝えています。「ずいぶんと大げさね」とからかったり、みんなで笑ったりせず、後でしっかりほめてあげましょう。

親思いのところもあるよい子ですが、性格はちょっと消極的。夏休みの計画などを自分で立てさせて、自主性をはぐくみましょう。

③頭を軽く下げるだけ

挨拶を簡単にすませるのは、その人から早く遠ざかりたいという気持ちの表れです。人見知りが激しいか、相手のことを嫌っているようです。

同年齢の子どもにこのような挨拶をする子は、自分のほうが立場が上だと思っています。

④相手のことを見つめながら挨拶する

相手に興味を持っているようです。おそらく、子どものほうはいつ会ったのか忘れているのではないでしょうか。顔を見ながら、「この人、誰だったっけ?」と考えているのです。

⑤相手の身体にベタベタ触りながら挨拶する

一見、開けっぴろげな性格に見えますが、実は寂しがり屋で甘えん坊です。人のぬくもりを求めて、身体に触れるのです。

97

友だちの右側を歩く子は、「リーダーの素質がある」

世界中の大都市に住む人たちの歩くスピードを計測したところ、最も早かったのは秒速1・6メートルの大阪だったそうです。早歩きは健康によいそうですが、友だちをおいていくのはいけません。

夕食の買い物に行こうと外へ出たら、ちょうど子どもが友だちと一緒に学校から帰ってくるところだった——日常の何気ない光景ですが、こんなときにも子どもの性格や気持ちを知ることができます。チェックするのは、友だちと一緒に歩いているときの様子です。

①右利きの友だちの右側を歩いていた

これは、友だちの利き腕を封じることのできるポジションです。どうやら、あなた

のお子さんはリーダーの素質があるようです。

しかし、ちょっと強引なので学校には敵もいるはず。また、目立ちたがり屋のところもあるので、大風呂敷を広げすぎると後で困ります。リーダーには力だけではなく、優しさと誠実さも必要だということを教えてあげましょう。

②右利きの友だちの左側を歩いていた

友だちや家族との関係を大切にする子です。柔軟で臨機応変な考え方の持ち主でもあるため、きっと同級生にも慕われているはずです。

ただし優しすぎて、重要なポジションや本当は自分がやりたいと思っている仕事を他人に譲ってしまうところがあります。「もう少し自分の主張を周囲に伝えたほうがいい」とアドバイスしてあげましょう。

③友だちよりゆっくり歩く

早く歩くと友だちに申し訳ないと思っています。そんな気遣いだけならいいのですが、それが少し極端になりすぎて「嫌われたらどうしよう」とびくびくしている様子。こんなことばかり考えていると、逆に周囲から疎まれるようになってしまいます。とくに男の子の場合は、もう少し自主性をはぐくんであげたほうがよさそうです。

④友だちをおいてきぼりにしがち

行動力があり、積極的な子です。しかし、他人への気遣いが少し足りないようです。人気もあるので、もう少し気遣いができれば、クラス委員やクラブの部長にもなれるはず。「みんながどうしてほしいと思っているのか考えてごらんなさい」とアドバイスしてあげましょう。

98

「ショートカット」が好きな女の子は、自信家

ヘアスタイルを変えたときには、周囲の反応が気になるもの。「あらっ、髪型変えた?」などと友だちに言われるとうれしくなります。ヘアスタイルは周囲に変化をアピールするために最適のパーツです。

女の子はおかっぱ、男の子はいがぐり頭というのは昔の話。今では高校野球の球児たちも、オシャレなヘアスタイルで頑張っています。そして、子どもだってヘアスタイルにこだわりを持っていて、そのこだわりが性格を表しているのです。

①ショートカットが好きな女の子

ショートカットは顔があらわになる髪型ですから、顔を見られてもぜんぜん気にな

らない自信家タイプです。楽観的で活発、しかも明るく友好的なところもあって、友だちにも慕われているのではないでしょうか。

②ロングヘアが好きな女の子

長い髪は女性の象徴です。しかし、だからといって女性的とはかぎりません。女性的なイメージをつくるため、髪を長く伸ばしている可能性が高いようです。つまり、見かけは女っぽいが、実はおてんばということです。意外と意志が強く、頑固な傾向も見られます。

ちなみに、髪で耳を隠そうとする女の子は、人付き合いがあまり得意ではないようです。耳を隠すことによって、外界から閉ざされたいということをアピールしているからです。

③ヘアスタイルをよく変える女の子

女性は失恋すると髪を切るなどといわれていますが、これは心理学的に見ても「当たらずとも遠からず」です。ヘアスタイルの変化は、心の変化を表しています。つまり、頻繁に変えるのは気まぐれで周囲の意見や流行に流されやすいタイプというわけ。社会的承認欲求も強く、髪型を変えることによって、みんなから注目されるのを望んでいます。

④イメージどおりのヘアスタイルの男の子

野球をやっているから丸坊主、バンドを組んでいるから長髪など、イメージどおりの男の子は、真面目でルールをよく守るタイプです。集団行動が得意ですが、それは裏を返せば独立心が弱いということ。少し甘えん坊なところがあるようです。

⑤イメージに反したヘアスタイルの男の子

ロン毛で野球、丸坊主でバンドなど、イメージに反した髪型をしているのは、自分の才能や能力に自信を持っているタイプ。ちょっと自己中心的なところも見られますが、リーダーの素質があります。

99

「コスプレ好きの子」は、内気で変身願望を持っている

私たちは誰でも変身願望を持っています。整形手術でもしないかぎり実際に変身するのは困難ですが、コスチュームを着ることによって変身願望を満足させることができます。

別に悪いことをしているわけではないのに、警察官やパトカーを見るとドキッとすることがあります。このような反応のことを、心理学用語で「**条件付け学習効果**」といいます。

ちなみに、このとき私たちは警察官の顔はほとんど見ておらず、制服やパトカーにだけ気を取られています。ある心理学者の実験によると、被験者たちが警察官に職務質問を受けた後、「警察官の顔を10枚の写真のなかから選んでほしい」と依頼したところ、7割以上の人が間違ったそうです。もち

ろん警察官は偽物ですが、被験者たちはそれを知りませんでした。

私たちは制服に特定のイメージを持っています。たとえば、看護師の白衣には「優しくて献身的」、警察官の制服には「怖いけど正義の味方。服従しなければならない」などです。ガードマンが警察官に似た制服を着てパトカーに似た車に乗っているのも、私たちが警察官に持っているイメージを利用するためです。

実は、制服を着た人にも「制服のイメージに従おう」という心理が働きます。ふだんは口数の少ない女の子も、ファストフード店で制服を着てアルバイトをすると、笑顔ではきはき受け答えができるようになるのはそのためです。

アニメやドラマの登場人物のコスプレは、この制服効果の最たるものといえるでしょう。いつもはうつむき加減で歩いている内気な子が、派手なコスプレを着たとたん、みんなの前で大胆なポーズをとる——これは、コスプレによってふだんの自分とはまったく違う自分に変身していると考えられます。

このように、通常とは異なる衣装を身につけたり仮面をかぶることによって、通常できないことができるようになるのを「**ペルソナ効果**」といいます。

つまり、コスプレ好きな子は変身願望を持っているということです。とくに、人気のキャラクターや派手なコスチュームを選ぶ子ほど、ふだんは内気で人付き合いが苦手な性格の持ち主のようです。みんなに注目されたい、派手に生きたいというのが、彼（彼女）たちの理想像なのです。

100

「奥のトイレ（個室）」に入る子は、人見知りが激しい

日本人のトイレ所要時間は平均約4・8分（大便時）だそうです。ビルや公共施設などの設計の際には、トイレの利用時間を4〜5分として必要な便器数を割り出しています。

外出先で子どもがトイレに行きたいと言ったら、一緒に行ってどこの個室に入るか確かめてみましょう。ただし、この判定ができるのは個室が5つ以上並んだ大きなトイレで、すべての個室が空いている場合。シネコンやコンサートホールなどへ行った際、トイレががら空きだった場合に見逃さないようにしてください。

①出入り口に近い個室に入った

警戒心の強いタイプです。ただし、何らかのトラブルがあった場合、出入り口付近

の個室のほうが助かりやすいとはかぎりません。にもかかわらず手前を選んだということから、楽観的な傾向も見られます。

また、用を足しているときにドアの前を人が通ってもあまり気にしないのですから、環境変化に強いタイプでもあるようです。万が一、転校する予定があっても、この子なら安心できるでしょう。

②中央付近の個室に入った

寂しがり屋で依存心が強いタイプです。ちなみに、あるビルで行われた調査によると、女性は中央付近の個室を利用する割合が圧倒的に高かったそうです。これは他の人が入ってきた場合、近くの個室を利用してくれる確率が高く、近くに人がいてくれると安心できるからだと考えられます。

友だち付き合いを大切にするため、友人からも頼りにされているはず。しかし、本当は頼りにされるよりも頼りたいと思っていますから、お母さん（お父さん）がそのような存在になってあげましょう。

③奥の個室に入った

警戒心の強いタイプで人見知りが激しく、目立つことがあまり得意ではありません。

友だちもあまり多くないようです。

前出の調査によると、男性は奥の個室を選ぶ割合が圧倒的に高かったそうです。これは、女性に比べて男性のほうがパーソナルスペース（なわばり）が広いことと関係しています。「なるべく他人は近づけたくない」という気持ちが、奥の個室を選ぶ理由になっているようです。

また、自立心が強く、よほどのことがないかぎり他人の助けは借りない傾向も見られます。女性は「たまには弱みを見せたほうがいいわよ」と教えてあげましょう。

101 団体競技が好きな子は、「いつも誰かと一緒にいたい」と思っている

団体競技では他の選手たちとの精神的・感情的な結びつきを強くし、一体感を持たなくてはレベルの高い戦いをすることはできません。それに対し個人競技は、自分のレベルを引き上げることだけを考えればすみます。

競技には、野球やサッカーのように団体で戦うもの、ボクシングや柔道のように個人で戦うもの、そしてマラソンやゴルフのように数字と戦うものの3種類があります。子どもがどの競技を選ぶかによっても、性格の片鱗《へんりん》が見えてきます。

①団体競技が好き　人と親しくなりたい、誰かと一緒にいたいという気持ちが強い子です。団体競技を続けることによって協調性がはぐくまれ、人間関係を学ぶこともで

きます。しかし、常に多数の人間と一緒にいて、コーチや監督、キャプテンの指示に従って動くため、独立心と自主性は弱いようです。些《さ》細《さい》なことでも親が決めず、必ず子どもに決断させるようにしましょう。ただし、野球のピッチャーにしか興味がないという子は、個人競技が好きな子に性格が近くなります。

②個人競技が好き　闘争心の強い子で性格もはっきりしていて、スリルを求めるタイプということもあって、ケンカをして帰ってくることが多いのでは？　責任感が強く、曲がったことが大嫌いなところもあるので、そのケンカはおそらく誰かを助けようとして、やむを得ずやったことでしょう。頭ごなしに怒るのではなく、原因や理由をちゃんと聞いてあげてください。ただし、かなり自己中心的で、わがままになりやすいタイプという点は、注意が必要です。

③数字と戦う競技が好き　戦う相手がいないのに練習を続けるのは、忍耐力がいることです。それが苦にならないのは、努力家でねばり強い性格だということを表しています。自分の力や能力に自信を持っており、独立心の強いタイプです。そこがあまり強調されてしまうと、付き合いづらい人間になってしまうので、息抜きに団体競技に参加するよう、アドバイスするのもいいでしょう。

本作品は当文庫のための書き下ろしです。

多湖輝（たご・あきら）
1926年スマトラ島生まれ。東京大学文学部哲学科（心理学専攻）卒。千葉大学名誉教授。東京未来大学名誉学長。
幼児教育から高齢者問題まで、多岐にわたる研究・発表を行ない、幅広い世代にかけて多くの支持を得ている。心理学研究のかたわら、累計1200万部を超える『頭の体操』シリーズをはじめ、数々のベストセラーを生み出してきた。また、ニンテンドーDS「レイトン教授シリーズ」のナゾ監修や、日本テレビ系「世界一受けたい授業」への出演など、多彩な活動を続けている。
著書には『頭の体操BEST』（光文社）、『「たった一言」の心理術』、『会話の心理術』（以上、三笠書房）、『人を見抜く心理術』（日本文芸社）、『しつけの知恵』（PHP研究所）、『頭のいい子が育つ親の習慣』（中経出版）など多数。

だいわ文庫

他人《たにん》の心《こころ》は「見《み》た目《め》」で9割《わり》わかる！
必《かなら》ず試《ため》したくなる心理学《しんりがく》101

監修者　多湖《たご》輝《あきら》

二〇一一年一一月一五日第一刷発行
二〇一五年二月二〇日第一九刷発行

発行者　佐藤靖
発行所　大和《だいわ》書房
東京都文京区関口一―三三―四 〒一一二―〇〇一四
電話 〇三―三二〇三―四五一一

装幀者　鈴木成一デザイン室
本文デザイン　菊地達也事務所
編集協力　幸運社
イラスト　高田真弓
本文印刷　信毎書籍印刷　カバー印刷　山一印刷
製本　ナショナル製本

ISBN978-4-479-30361-9
乱丁本・落丁本はお取り替えいたします。
http://www.daiwashobo.co.jp